Alessandra
Roma
agosto 2017

Fra il 1931 e il 1972 Georges Simenon (Liegi 1903-Losanna 1989) ha pubblicato 75 romanzi e 28 racconti dedicati alle inchieste di Maigret. Compiuto ad Antibes nel gennaio del 1932 e pubblicato in quello stesso anno, *Il caso Saint-Fiacre* ci mostra un Maigret tutt'altro che infallibile. Maigret non è Sherlock Holmes né Rouletabille né Poirot. Conosce lo scacco, la paura, l'esitazione, la sconfitta. Convocato – è il caso di dirlo – dall'assassino sul luogo del delitto, non riuscirà a impedire che il delitto venga commesso. Non solo: turbato, angosciato, oppresso dai ricordi, si terrà in disparte, lasciando al figlio della vittima, Maurice de Saint-Fiacre, il compito di smascherare il colpevole nel corso di un finale da grande melodramma.

Presso Adelphi sono in corso di pubblicazione tutte le opere di Simenon.

Georges Simenon

Il caso Saint-Fiacre

TRADUZIONE DI GIORGIO PINOTTI

ADELPHI EDIZIONI

TITOLO ORIGINALE:
L'affaire Saint-Fiacre

Le inchieste del commissario Maigret
escono a cura di Ena Marchi e Giorgio Pinotti

ISBN 978-88-459-1239-9

Anno

2019 2018 2017 2016

Edizione

14 15 16 17 18 19

INDICE

IL CASO SAINT-FIACRE

1
LA BAMBINA CON GLI OCCHI STORTI

Pochi colpi sommessi alla porta; il rumore di un oggetto posato sul pavimento; una voce timida:

«Sono le cinque e mezzo! È appena suonata la prima campana della messa...».

Maigret si sollevò sui gomiti facendo cigolare la rete del letto, e mentre osservava con stupore la finestrella che si apriva sul tetto spiovente la voce riprese:

«Deve fare la comunione?».

Il commissario Maigret si alzò, e camminando a piedi nudi sul pavimento gelido andò verso la porta, che si chiudeva con una cordicella assicurata a due chiodi. Udì dei passi che si allontanavano, e fece appena in tempo a scorgere nel corridoio una figura femminile in camiciola e sottoveste bianca.

Allora raccolse la brocca d'acqua calda che Marie Tatin gli aveva portato, chiuse la porta e cercò uno specchio per radersi.

Alla candela restavano solo pochi minuti di vita. Al di là della finestrella era ancora notte fonda, una fredda notte di primo inverno. Nella piazza principale, dai rami dei pioppi pendeva ancora qualche foglia morta.

Il tetto era spiovente su due lati, e Maigret poteva stare in piedi solo al centro della mansarda. Aveva freddo. Per tutta la notte uno spiffero di cui non era riuscito a individuare l'origine gli aveva gelato la nuca.

Ed era proprio quel genere di freddo a turbarlo, immergendolo in un'atmosfera che credeva di avere dimenticato.

La prima campana della messa... I rintocchi nel villaggio addormentato... Da bambino Maigret non si alzava così presto... Aspettava il secondo rintocco, quello delle sei meno un quarto, perché allora non aveva bisogno di radersi... Forse non si lavava nemmeno la faccia...

Non gli portavano certo l'acqua calda... E capitava che l'acqua gelasse nella brocca... Poco dopo i suoi passi risuonavano sulla strada indurita dal ghiaccio...

Ora, mentre si vestiva, sentiva l'andirivieni di Marie Tatin nella sala da pranzo della locanda, la sentiva scuotere la griglia della stufa, armeggiare coi piatti, macinare il caffè.

Indossò la giacca, il cappotto. Prima di uscire, prese dalla cartella un foglio che portava la dicitura:

« Polizia municipale di Moulins.

« Trasmesso per ogni evenienza alla Polizia giudiziaria di Parigi ».

Il foglio era a quadretti, la scrittura diligente:

« Vi informo che nella chiesa di Saint-Fiacre, durante la prima messa del giorno dei Morti, sarà commesso un delitto ».

Per diversi giorni il documento era passato da un ufficio all'altro del Quai des Orfèvres. Maigret, che l'aveva notato per caso, si era meravigliato.

« Saint-Fiacre vicino a Matignon? ».

« Probabile, perché ci arriva da Moulins ».

E Maigret se l'era infilato in tasca. Saint-Fiacre! Matignon! Moulins! Nomi che gli suonavano familiari come nessun altro.

Lui era nato a Saint-Fiacre, dove per trent'anni suo padre era stato l'intendente del castello. L'ultima volta c'era andato proprio per la morte del padre, che era sepolto là, nel piccolo cimitero dietro la chiesa.

« ... durante la prima messa ... sarà commesso un delitto ».

Maigret era arrivato il giorno prima. Aveva preso alloggio nell'unica locanda, quella di Marie Tatin.

Lei non l'aveva riconosciuto, ma lui sì, per via degli occhi. La bambina con gli occhi storti, come la chiamavano allora! Una bambina gracile che si era trasformata in una zitella ancora più magra, con gli occhi sempre più storti, e che si agitava senza sosta nella sala da pranzo, in cucina e nel cortile, dove allevava conigli e galline!

Il commissario scese. Giù da basso l'illuminazione era a petrolio. Marie aveva apparecchiato in un angolo. Una pagnotta grigia, l'odore del caffè di cicoria, il latte bollente.

« Fa male a non comunicarsi in un giorno come questo! Tanto più che si prende il disturbo di andare alla prima messa... Dio mio! Già la seconda campana!... ».

La voce della campana era flebile. Si udirono dei passi nella strada. Marie Tatin scappò in cucina per infilarsi il vestito nero, i guanti di filo e il cappellino, che stava tutto storto per via della crocchia.

« Finisca pure di mangiare... Ma chiuda la porta a chiave... ».

« Vengo con lei, sono pronto... ».

Fare la strada in compagnia di un uomo! Un uomo che veniva da Parigi, per di più! Marie si sentiva a disagio, e camminava a passi rapidi e brevi, piegata in avanti nel freddo del mattino. Le foglie morte svolazzavano, e il loro secco frusciare rivelava che durante la notte era gelato.

Altre ombre convergevano verso il vago chiarore che proveniva dalla porta della chiesa. Le campane continuavano a suonare. Qua e là sulle facciate delle case, tutte a un solo piano, una finestra illuminata: qualcuno si stava vestendo in fretta per la prima messa.

E Maigret riassaporava le sensazioni di un tempo: il freddo, gli occhi che bruciano, le dita gelate, e in bocca il sapore del caffè. Poi, entrando in chiesa, un'ondata di calore, di morbida luce; l'odore dei ceri, dell'incenso...

« Lei mi scuserà... Ho il mio inginocchiatoio... » disse lei.

E Maigret riconobbe la sedia nera coi braccioli di velluto rosso della vecchia Tatin, la madre della bambina con gli occhi storti.

La corda che il campanaro aveva appena lasciato andare oscillava ancora in fondo alla chiesa. Il sacrestano accendeva gli ultimi ceri.

In quanti erano a quella riunione di fantasmi assonnati? Quindici al massimo, e solo tre uomini: il sacrestano, il campanaro e Maigret.

« ... sarà commesso un delitto ».

La polizia di Moulins aveva pensato a uno scherzo di cattivo gusto e non se n'era data pena. A Parigi la partenza del commissario aveva stupito tutti.

Dalla porta a destra dell'altare provenivano dei rumori, e Maigret poteva intuire momento per momento ciò che stava accadendo: la sacrestia, il chierichetto in ritardo, il parroco che senza dire una parola s'infilava la pianeta, congiungeva le mani e si dirigeva verso la navata seguito dal ragazzino che incespicava nella veste...

Il ragazzino aveva i capelli rossi. Scosse il campanello. Il brusio delle preghiere liturgiche ebbe inizio.

«... durante la prima messa...».

Maigret aveva scrutato una dopo l'altra tutte le ombre. Cinque vecchie, tre delle quali con un inginocchiatoio privato. L'imponente moglie di un fattore. Alcune contadine più giovani e un bambino...

Fuori, il rombo di un'auto. Il cigolio di una portiera. Passi rapidi, leggeri: una signora in lutto attraversò tutta la chiesa.

Nel coro c'era una fila di stalli riservati agli abitanti del castello, stalli rigidi, in vecchio legno levigato. La signora vi prese posto silenziosamente, seguita dagli sguardi delle contadine.

«Requiem aeternam dona eis, Domine...».

Forse Maigret sarebbe stato ancora capace di rispondere al sacerdote. Sorrise al pensiero che un tempo preferiva le messe funebri alle altre perché le orazioni sono più brevi. Si rammentava di messe celebrate in sedici minuti!

Ma già aveva distolto lo sguardo dalla signora che occupava lo stallo gotico e di cui intravedeva appena il profilo. Stentava a riconoscere in lei la contessa di Saint-Fiacre.

«Dies irae, dies illa...».

Eppure era proprio lei! Ma quando l'aveva vista l'ultima volta non aveva più di trentacinque o trentasei anni. Era una donna alta, sottile, malinconica, che la gente del paese scorgeva ogni tanto, da lontano, nel parco.

E ora doveva avere sessant'anni passati... Pregava

con fervore... Aveva il volto emaciato, e stringeva il messale fra le mani troppo lunghe e fini...

Maigret era rimasto nell'ultima fila delle sedie di paglia, quelle che durante la messa solenne costano cinque centesimi ma sono gratuite durante le messe basse.

«... sarà commesso un delitto».

Al primo Vangelo si alzò insieme agli altri. La sua attenzione era attirata da mille particolari, e i ricordi lo assalivano. Come questo, che gli balenò all'improvviso: «Nel giorno dei Morti il sacerdote celebra tre messe...».

Ai suoi tempi, nell'intervallo fra la seconda e la terza messa, mangiava un boccone dal parroco. Un uovo alla coque e del formaggio di capra!

La polizia di Moulins aveva ragione! Non ci sarebbe stato alcun delitto! Il sacrestano si era seduto in uno degli stalli, in fondo, quattro posti oltre la contessa, e il campanaro era uscito a passi pesanti, come un impresario che non si curi di assistere al suo spettacolo.

Non erano rimasti altri uomini all'infuori di Maigret e del sacerdote, un giovane sacerdote che aveva lo sguardo ardente di un mistico. Lui non cercava di sbrigarsela in fretta come il parroco che Maigret aveva conosciuto. Non saltava metà dei versetti.

Le vetrate impallidirono. Fuori faceva giorno. Lontano, nella campagna, si udì un muggito.

Il flebile campanello del chierichetto tintinnò e tutti chinarono il capo per l'elevazione.

Maigret fu l'unico a non fare la comunione. Tutte le donne avanzarono verso la balaustra, con le mani giunte e il volto inespressivo. Le ostie, tanto diafane da sembrare irreali, passavano per un istante nelle mani del sacerdote.

La messa proseguì. La contessa teneva ancora il viso fra le mani.

« Pater noster...

« Et ne nos inducas in tentationem... ».

Le dita della vecchia signora si schiusero svelando un viso segnato dalla sofferenza, aprirono il messale.

Ancora quattro minuti! Le preghiere, l'ultimo Vangelo, e poi la fine! E non ci sarebbe stato alcun delitto!

Perché l'avvertimento era chiaro: « ... la prima messa... ».

Lo scaccino si alzò e rientrò nella sacrestia: era proprio finita...

La contessa di Saint-Fiacre teneva ancora la faccia tra le mani. Era rigida, immobile, come la maggior parte delle altre vecchie.

« Ite missa est... La messa è finita... ».

Solo allora Maigret capì quanto era stato angosciato. Quasi non se n'era reso conto. Senza volerlo sospirò di sollievo. Aspettò con impazienza la fine dell'ultimo Vangelo, pensando che fuori avrebbe respirato l'aria fresca, si sarebbe mescolato alla gente e ne avrebbe ascoltato le chiacchiere.

Le vecchie si ridestarono tutte insieme. I loro piedi si mossero sulle fredde mattonelle azzurre della chiesa. Due contadine si diressero verso l'uscita una dietro l'altra. Il sacrestano comparve con uno spegnitoio, e la fiamma delle candele lasciò posto a un filo di fumo azzurrino.

Ormai era giorno. Quando la porta si apriva, una luce grigiastra penetrava nella navata insieme a folate di aria fredda.

Ancora tre persone... Due... Qualcuno spostò una sedia... Rimaneva solo la contessa, e Maigret ebbe un fremito d'impazienza...

Il sacrestano, che aveva concluso il suo compito, gettò uno sguardo alla signora di Saint-Fiacre, e un'espressione dubbiosa gli si dipinse sul volto. In quel medesimo istante il commissario avanzò.

Giunti accanto a lei, rimasero entrambi stupiti di quell'immobilità e cercarono di vedere il volto che le mani giunte continuavano a nascondere.

Turbato, Maigret le sfiorò una spalla. Il corpo vacillò, come se fino a quel momento fosse stato sorretto da un filo, poi rotolò a terra e rimase inerte.

La contessa di Saint-Fiacre era morta.

Trasportato in sacrestia, il corpo era stato steso su tre sedie accostate. Il sacrestano era uscito di corsa per andare a chiamare il medico del villaggio.

E Maigret, che non si rendeva conto di quanto la sua presenza fosse strana, impiegò parecchi minuti a cogliere la domanda carica di sospetto che si celava nello sguardo febbrile del sacerdote.

« Lei chi è? » gli chiese infine. « E come mai... ».

«.Commissario Maigret, della Polizia giudiziaria ».

Guardò il parroco negli occhi. Era un uomo di trentacinque anni, dai lineamenti regolari ma così austeri da ricordare la fede feroce dei monaci di altri tempi.

Era visibilmente turbato. La voce gli tremò mentre mormorava:

« Intende forse dire che... ».

Non avevano ancora osato svestire la contessa. Si erano limitati a posarle uno specchio sulle labbra e ad auscultarle il cuore, che non batteva più.

« Non mi pare che ci siano ferite... » si limitò a rispondere Maigret.

E nel frattempo si guardava intorno: tutto era rimasto identico lì dentro, in trent'anni non un solo particolare era cambiato. Le ampolle erano al posto di sempre, la pianeta pronta per la messa successiva, come pure la veste e la cotta del chierichetto.

La scialba luce che penetrava da una finestra a ogiva diluiva i raggi di una lampada a olio.

Faceva al tempo stesso caldo e freddo. Il sacerdote era assalito da pensieri orribili.

«Comunque non si può certo ritenere...».

Un dramma! Dapprima Maigret non capì. Ma i ricordi d'infanzia continuavano ad affiorare come bolle d'aria.

«... Una chiesa in cui è stato commesso un delitto deve essere nuovamente consacrata dal vescovo...».

Com'era possibile parlare di delitto? Non si erano uditi spari! Nessuno si era avvicinato alla contessa! Per tutta la messa Maigret non le aveva praticamente tolto gli occhi di dosso!

E non una goccia di sangue, non una ferita visibile!

«La seconda messa è alle sette, vero?».

Fu un sollievo sentire il passo pesante del medico, un tipo sanguigno che, sconcertato dall'atmosfera, guardò alternativamente il commissario e il parroco.

«Morta?» chiese.

Lui ad ogni modo non ebbe esitazioni e le sbottonò il corpetto, mentre il sacerdote distoglieva lo sguardo. Si udirono dei passi lenti nella chiesa, poi la campana che suonava a distesa. Il primo annuncio della messa delle sette.

«Solo un'embolia può... Non ero il medico di fiducia della contessa, che preferiva farsi curare da un collega di Moulins... Ma mi hanno chiamato due o tre volte al castello... Aveva il cuore molto malandato...».

La sacrestia era angusta. I tre uomini e il cadavere ci stavano appena. Arrivarono due chierichetti: quella delle sette era una messa solenne.

«La macchina sarà ancora qui fuori!» disse Maigret. «Bisogna trasferirla al castello...».

Continuava a sentire su di sé lo sguardo angosciato del sacerdote. Che avesse intuito qualcosa? Sta di fatto che, mentre il sacrestano trasportava il corpo nell'automobile con l'aiuto dell'autista, egli si avvicinò al commissario.

«È sicuro che... Devo ancora dire due messe... È il giorno dei Morti... I miei fedeli sono...».

Visto che la contessa era morta di embolia, Maigret non aveva forse il diritto di rassicurare il parroco?

«Ha sentito quello che ha detto il medico...».

«Eppure lei oggi è venuto qui, e proprio a questa messa...».

Maigret si sforzò di non apparire turbato.

«È solo un caso, signor parroco... Mio padre è sepolto nel vostro cimitero...».

E affrettò il passo verso l'automobile, un vecchio coupé a manovella che l'autista stava mettendo in moto. Il medico non sapeva che fare. C'era della gente lì nella piazza, e nessuno capiva che cosa stesse accadendo.

«Venga con noi...».

Ma il cadavere occupava tutto il sedile, e Maigret e il medico dovettero stringersi da un lato.

«Sembra sorpreso di quel che le ho detto...» mormorò il medico, che non aveva ancora del tutto recuperato il suo sangue freddo. «Se conoscesse la situazione, forse capirebbe... La contessa...».

Tacque, lanciando uno sguardo in direzione dell'autista in livrea nera che guidava con aria assente. Stavano attraversando il lieve pendio della piazza principale, delimitata dalla chiesa eretta sul declivio e dallo stagno di Notre-Dame, che quel mattino era di un venefico grigio.

La locanda di Marie Tatin era la prima casa del paese sulla destra. A sinistra c'era un viale fiancheggiato da querce e, in fondo, la massa scura del castello.

Un cielo uniforme, freddo come una lastra di ghiaccio.

«Ne verrà fuori un dramma, sa... È per questo che il parroco ha fatto quella faccia».

Il dottor Bouchardon era un contadino, figlio di contadini. Portava un abito da caccia marrone e alti stivali di gomma.

«Stavo per andare a caccia di anatre, negli stagni...».

«Non va a messa?».

Il dottore ammiccò.

«Il che, sia chiaro, non mi impediva di frequentare il vecchio parroco... Ma questo qui...».

Stavano entrando nel parco. Ora potevano distinguere i particolari del castello, le finestre del pianterreno con le imposte chiuse e le due torri d'angolo, le sole parti antiche dell'edificio.

Quando la macchina si fermò davanti alla scalinata, Maigret gettò uno sguardo attraverso le finestre munite di grata del seminterrato e intravide le cucine piene di vapore, dove un donnone stava spennando delle pernici.

L'autista non sapeva che cosa fare, e non osava aprire le portiere dell'automobile.

«Il signor Jean non si sarà ancora alzato...».

«Chiami qualcuno... Ci sono altri domestici nella casa?...».

Maigret aveva le narici umide. Faceva davvero freddo. Rimase nel cortile insieme al medico, che cominciò a riempirsi la pipa.

«Chi è il signor Jean?».

Bouchardon alzò le spalle accennando uno strano sorriso.

«Lo vedrà lei stesso».

«Insomma, chi è?».

«Un giovanotto... Un simpatico giovanotto...».

«Un parente?».

«In un certo senso!... A modo suo!... Be', tanto vale che glielo dica subito... È l'amante della contessa... Ufficialmente è il suo segretario...».

Maigret guardò il dottore negli occhi. Adesso ricordava: erano stati a scuola insieme! Solo che non lo riconosceva! Aveva quarantadue anni! E aveva messo su pancia.

Il castello, nessuno lo conosceva meglio di lui! Soprattutto le dipendenze! Pochi passi, e avrebbe visto la casa dell'intendente, dov'era nato.

Forse erano proprio quei ricordi a turbarlo tanto! E soprattutto l'immagine della contessa di Saint-Fiacre così come l'aveva conosciuta: una giovane donna che incarnava, ai suoi occhi di bambino del popolo, la quintessenza della femminilità, della grazia, della nobiltà...

Era morta! L'avevano buttata nell'automobile come una cosa inerte, avevano dovuto piegarle le gambe! Nessuno si era preoccupato di riabbottonarle il corpetto, e dal nero dell'abito da lutto sbucava il candore della biancheria.

« ... sarà commesso un delitto ».

Ma il medico sosteneva che era morta di embolia! Quale demiurgo aveva potuto prevederlo? E perché poi convocare la polizia?

Dentro il castello, rumore di gente che correva, di porte che si aprivano e si chiudevano. Un maggiordomo, che si stava ancora infilando la livrea, si affacciò all'ingresso principale senza osare farsi avanti. Dietro di lui, un uomo in pigiama con i capelli in disordine e gli occhi cerchiati.

« Che succede? » gridò.

« Il mantenuto! » bofonchiò cinicamente il medico all'orecchio di Maigret.

La notizia doveva essere arrivata anche alla cuoca, che, dalla finestra del seminterrato, guardava in silenzio. Sotto il tetto, dove si trovavano le camere dei domestici, si aprivano degli abbaini.

« Si può sapere cosa aspettano a portare la contessa nel suo letto? » tuonò Maigret indignato.

Tutto ciò gli sembrava un sacrilegio, perché strideva con i suoi ricordi d'infanzia. E il malessere che provava non era solo morale ma fisico!

« ... sarà commesso un delitto ».

Il secondo rintocco della messa. La gente si stava di certo affrettando. C'erano fattori che arrivavano da lontano, sui loro carri! E avevano portato i fiori da deporre sulle tombe del cimitero!

Jean non osava avvicinarsi. Il maggiordomo, che aveva aperto la portiera, se ne stava lì sconvolto e come paralizzato.

« La signora contessa... la signora... » balbettava.

« Insomma!... Vuole lasciarla sull'auto?... Eh?... ».

Perché diavolo il dottore aveva quel sorriso ironico?

Maigret prese in mano la situazione.

« Forza! Due uomini... Lei! » indicò l'autista. « E lei! » indicò il domestico. « Portatela nella sua stanza,.. ».

Mentre i due uomini si chinavano verso l'automobile, nell'atrio squillò il telefono.

« Il telefono!... Strano, a quest'ora!... » borbottò Bouchardon.

Jean non si decideva ad andare a rispondere. Sembrava inebetito. Fu Maigret a precipitarsi in casa e a sollevare il ricevitore.

« Pronto!... Sì, qui è il castello... ».

E una voce vicinissima:

« Mi passi mia madre, per favore. Dev'essere tornata dalla messa... ».

« Chi parla? ».

« Il conte di Saint-Fiacre... Comunque non sono affari suoi... Mi passi mia madre... ».

« Un momento... Scusi, da dove sta chiamando?... ».

« Da Moulins! Ma insomma le ho detto di... ».

« Venga, sarà meglio! » si limitò a dire Maigret mentre riagganciava.

E fu costretto ad addossarsi al muro per lasciar passare i due domestici che trasportavano il cadavere.

2
IL MESSALE

« Entri pure » disse il medico non appena ebbero deposto la contessa sul suo letto. « Ho bisogno di qualcuno che mi aiuti a spogliarla ».

« Ci sarà pure una cameriera! » esclamò Maigret.

Jean salì al piano di sopra e ridiscese poco dopo in compagnia di una donna sulla trentina che si guardava intorno con aria spaventata.

« Fuori di qui! » bofonchiò il commissario rivolgendosi ai domestici, che non chiedevano di meglio.

Trattenne Jean per la manica e, dopo averlo squadrato dalla testa ai piedi, lo condusse nel vano di una finestra.

« In che rapporti è con il figlio della contessa? ».

« Ma... io... ».

Il giovane era magro e il suo pigiama a righe tutt'altro che pulito, il che non contribuiva certo a conferirgli dignità. I suoi occhi sfuggivano quelli di Maigret. Aveva la mania di tirarsi le dita come per allungarle.

« Stia a sentire! » tagliò corto il commissario. « Vediamo di parlarci chiaro e di non perdere tempo».

Attraverso la pesante porta di quercia giungevano l'eco dei passi, il cigolio delle molle del letto, gli ordini che il dottor Bouchardon impartiva sottovoce alla cameriera: stavano svestendo la morta!

«Qual è esattamente la sua posizione al castello? Da quanto tempo si trova qui?».

«Da quattro anni».

«Come ha conosciuto la contessa di Saint-Fiacre?».

«Io... insomma, le sono stato presentato da amici comuni... I miei genitori erano appena stati travolti dal crac di una piccola banca di Lione... Sono stato assunto come uomo di fiducia, per occuparmi degli affari personali di...».

«Un momento! Prima, che cosa faceva?».

«Viaggiavo... Scrivevo articoli di critica d'arte...».

Maigret non sorrise. E del resto l'atmosfera non favoriva l'ironia.

Il castello era grande, e visto dall'esterno non mancava di eleganza. Ma l'interno aveva un aspetto non meno squallido del pigiama del giovane. Ovunque polvere, vecchie cose prive di valore, un mucchio di oggetti inutili. Le tappezzerie erano sbiadite.

E le tracce più chiare sui muri rivelavano che alcuni mobili erano stati portati via. I più belli, evidentemente. Quelli di un certo pregio!

«Così è diventato l'amante della contessa...».

«Ognuno è libero di amare chi...».

«Idiota!» sibilò Maigret girando le spalle al suo interlocutore.

Come se la situazione non fosse di per sé già abbastanza chiara! Bastava guardare Jean, respirare per qualche istante l'aria del castello! E sorprendere gli sguardi dei domestici!

«Sapeva che suo figlio stava per arrivare?».

«No... E poi che m'importa?».

I suoi occhi continuavano a sfuggire quelli di Maigret. Con la mano destra tormentava le dita della sinistra.

«Vorrei andarmi a vestire... Fa freddo. Ma perché la polizia si occupa di...».

«Vada a vestirsi, che è meglio!».

E Maigret aprì la porta della stanza, cercando di non guardare verso il letto dove la morta giaceva completamente nuda.

La stanza assomigliava al resto della casa. Era troppo ampia, troppo fredda, ingombra di vecchi oggetti ammassati alla rinfusa. Nell'appoggiarsi al marmo del caminetto, Maigret si accorse che era rotto.

«Ha scoperto qualcosa?» chiese il commissario a Bouchardon. «Un momento... Signorina, le spiace lasciarci soli?».

Richiuse la porta alle spalle della cameriera, andò alla finestra e, con la fronte incollata al vetro, lasciò vagare lo sguardo sul parco ammantato di foglie morte e di grigiore.

«Posso solo confermarle ciò che le ho detto prima. La morte è dovuta a un improvviso arresto cardiaco».

«Provocato da...?».

Il medico fece un gesto vago, poi, dopo aver gettato una coperta sul cadavere, raggiunse Maigret davanti alla finestra e si accese la pipa.

«Forse da un'emozione... O forse dal freddo... Faceva freddo in chiesa?».

«Per niente! Ovviamente non ha trovato segni di ferite».

«Assolutamente no!».

«E neppure un minuscolo segno di puntura».

«Ci ho pensato anch'io... Niente!... E la contessa non ha ingerito alcun veleno... Come vede, sarebbe difficile sostenere...».

Lo sguardo di Maigret si era fatto duro. A destra,

fra gli alberi, vedeva il tetto rosso della casa dell'intendente, dov'era nato.

« In due parole... Com'era la vita al castello?... » chiese sottovoce.

« Lei ne sa quanto me... Ha presente quelle donne che sono modelli di virtù fino a quaranta o quarantacinque anni?... Poi il conte è morto, il figlio è andato a Parigi per continuare gli studi... ».

« E qui? ».

« Sono arrivati dei segretari, che si fermavano più o meno a lungo... L'ultimo l'ha visto anche lei... ».

« Il patrimonio? ».

« Il castello è ipotecato... Tre fattorie su quattro sono state vendute... Ogni tanto un antiquario viene a prendere gli ultimi oggetti di valore... ».

« E il figlio? ».

« Lo conosco appena! Pare che sia un tipo strano... ».

« La ringrazio! ».

Maigret si avviò verso la porta, ma Bouchardon gli andò dietro.

« Detto fra noi, sarei curioso di sapere come mai proprio stamattina lei si trovava in chiesa... ».

« Una strana coincidenza, vero?... ».

« Ho l'impressione di averla già vista da qualche parte... ».

« È possibile... ».

E Maigret si affrettò lungo il corridoio. Aveva dormito poco e si sentiva la testa vuota. Forse aveva anche preso freddo alla locanda di Marie Tatin. Vide Jean che scendeva le scale: si era messo un abito grigio, ma portava ancora le pantofole. Proprio in quel momento un'automobile a scappamento libero entrava nel cortile del castello.

Era una piccola auto da corsa giallo canarino, lunga, affusolata, scomoda. Un attimo dopo un uomo con un soprabito di cuoio fece irruzione nell'ingresso e, toltosi il casco, gridò:

« Ehi! C'è nessuno?... Ma dormono ancora tutti in questa casa?... ».

Poi si accorse di Maigret e gli rivolse uno sguardo pieno di curiosità.

« Si può sapere... ».

« Sst!... Devo parlarle... ».

Accanto al commissario c'era Jean, pallido e inquieto. Il conte di Saint-Fiacre gli diede un amichevole pugno sulla spalla, poi disse scherzosamente:

« Sei ancora qui, canaglia! ».

Non c'era rancore nella sua voce. Solo un profondo disprezzo.

« Spero non sia successo niente di grave! ».

« Sua madre è morta stamattina in chiesa ».

Maurice de Saint-Fiacre aveva trent'anni, la stessa età di Jean. Erano della medesima statura, ma il conte era robusto e tendeva a ingrassare. Tutto in lui, a cominciare dal soprabito di cuoio, dava l'idea di una vita spensierata. I suoi occhi chiari avevano un'espressione gaia, canzonatoria.

Ma le parole di Maigret ebbero il potere di fargli corrugare la fronte.

« Cosa sta dicendo? ».

« Venga con me ».

« Questa poi!... Io che... ».

« Lei che cosa?... ».

« Niente! Dov'è?... ».

Era confuso, disorientato. Quando fu nella camera, sollevò la coperta quel tanto che bastava per intravedere il viso della morta.

Non ci furono manifestazioni di dolore, né lacrime, né gesti drammatici. Si limitò a mormorare:

« Povera vecchia!... ».

Jean si era sentito in dovere di arrivare fin sulla soglia, ma quando l'altro se ne accorse gli gridò:

« Fuori di qui! ».

Cominciava a innervosirsi. Andava su e giù per la stanza e si trovò di fronte il dottore.

« Di che cosa è morta, Bouchardon? ».

« Arresto cardiaco, signor Maurice... Ma penso che il commissario ne sappia più di me in proposito... ».

Il giovane si volse bruscamente verso Maigret.

« Lei è della polizia?... Ma si può sapere... ».

« Vuole concedermi qualche minuto?... Ho voglia di fare quattro passi... Lei resta qui, dottore? ».

« Veramente stavo per andare a caccia e... ».

« Vorrà dire che ci andrà un altro giorno! ».

Maurice de Saint-Fiacre seguì Maigret con lo sguardo rivolto a terra e l'aria assente. Quando raggiunsero il viale principale del castello, la messa delle sette era ormai finita, e i fedeli, più numerosi che alla prima messa, sostavano sul sagrato in piccoli gruppi. Alcuni stavano già entrando nel cimitero, e di loro si vedevano solo le teste, che spuntavano al di sopra del muro.

Via via che faceva giorno il freddo diventava più pungente, certo a causa del vento di tramontana, che spazzava le foglie morte da un capo all'altro della piazza facendole turbinare come uccelli sullo stagno di Notre-Dame.

Maigret caricò la pipa. Non era forse per questo che aveva trascinato fuori il suo compagno? Eppure il dottore fumava persino nella stanza in cui giaceva la morta. E Maigret era solito fumare ovunque.

Ma non al castello! Quello era un luogo a parte, che per tutta la sua giovinezza aveva rappresentato quanto vi è di più inaccessibile!

« Oggi il conte mi ha convocato in biblioteca per lavorare con lui! » diceva suo padre con un pizzico di orgoglio.

Maigret era un bambino a quei tempi, e osservava da lontano, rispettosamente, la carrozzina che una nurse spingeva per i viali del parco. Il neonato era Maurice de Saint-Fiacre!

«Chi può trarre vantaggio dalla morte di sua madre?».

«Non capisco... Il dottore ha appena detto...».

Era agitatissimo. Si muoveva a scatti. Afferrò bruscamente il foglio che Maigret gli porgeva e in cui si annunciava il delitto.

«Che significa?... Bouchardon ha parlato di arresto cardiaco e...».

«Un arresto cardiaco che qualcuno ha previsto con quindici giorni di anticipo!».

Dei contadini li osservavano da lontano. I due uomini camminavano lentamente, ciascuno immerso nei propri pensieri, e si stavano avvicinando alla chiesa.

«Come mai stamattina è venuto al castello?».

«Vorrei proprio saperlo anch'io...» disse il giovane. «Poco fa lei mi ha chiesto se... Ebbene sì!... C'è qualcuno che poteva trarre vantaggio dalla morte di mia madre... Io!».

Non stava affatto scherzando. Sul suo viso si leggeva l'apprensione. Salutò, chiamandolo per nome, un uomo che passava in bicicletta.

«Lei è della polizia, e avrà già capito la situazione... D'altronde quell'animale di Bouchardon non si sarà fatto scrupoli a raccontarle tutto... Mia madre era una povera vecchia... Mio padre è morto... E io me ne sono andato... Si è ritrovata sola, e credo che questo le abbia un po' annebbiato il cervello... All'inizio passava tutto il suo tempo in chiesa... Poi...».

«I giovani segretari!».

«Non credo che le cose stiano come lei pensa e come Bouchardon vorrebbe insinuare... Non si trattava affatto di depravazione!... Ma di bisogno di tenerezza... Bisogno di prendersi cura di qualcuno... Che poi questi giovanotti ne abbiano approfittato per spingersi oltre... Fatto sta che non aveva smesso di essere molto devota... Doveva avere delle terribili crisi di coscienza, divisa com'era tra la fede e questo... questa... ».

« Stava dicendo che avrebbe tratto vantaggio... ».

« Lei sa che del nostro patrimonio non resta granché... E gli individui come il signore che ha conosciuto hanno i denti aguzzi... Diciamo che nel giro di tre o quattro anni non sarebbe rimasto più nulla... ».

Era a capo scoperto. Si passò una mano tra i capelli. Poi, guardando Maigret negli occhi, si fermò un istante e aggiunse:

« A questo punto posso dirle che oggi ero venuto qui con l'intenzione di chiedere a mia madre quarantamila franchi... E che questi quarantamila franchi mi servono per coprire un assegno che altrimenti risulterà a vuoto... Vede come tutto si concatena!... ».

Passando davanti a una siepe, strappò un ramoscello. Era evidente che faceva sforzi disperati per mantenere il controllo.

« E ho anche portato con me Marie Vassiliev! ».

« Marie Vassiliev? ».

« La mia amica!... È a Moulins... Quando l'ho lasciata era ancora a letto... Ma è capacissima di saltare su un taxi e di presentarsi qui da un momento all'altro... Ci mancherebbe soltanto questo! ».

Da Marie Tatin, dove alcuni uomini bevevano rum, le luci erano state appena spente. La corriera che faceva servizio fra Moulins e Saint-Fiacre stava per partire, semivuota.

« Non se lo meritava proprio! » disse Maurice come seguendo il filo dei suoi pensieri.

« Chi? ».

« La mamma! ».

E in quel momento, nonostante fosse grande e grosso e cominciasse a metter su pancia, c'era in lui qualcosa di infantile. Forse stava addirittura per mettersi a piangere...

I due uomini andavano su e giù nei pressi della

chiesa, percorrendo continuamente lo stesso tratto di strada, con lo stagno ora di fronte ora alle spalle.

« Senta, commissario, non è possibile che l'abbiano uccisa... Anche se non riesco a spiegarmi... ».

Maigret stava pensando appunto a questo, e così intensamente da dimenticare il suo compagno. Rievocava la prima messa nei minimi dettagli.

La contessa al suo banco... Nessuno le si era avvicinato... Aveva fatto la comunione... Si era quindi inginocchiata, col viso fra le mani... Poi aveva aperto il messale... Un attimo più tardi aveva di nuovo il viso fra le mani...

« Può scusarmi un istante? ».

Maigret salì la scalinata ed entrò in chiesa, dove il sacrestano stava già preparando l'altare per la messa solenne. Il campanaro, un rozzo contadino dalle pesanti scarpe chiodate, sistemava le sedie in modo che fossero ben allineate.

Il commissario si diresse verso gli stalli, si chinò e chiamò lo scaccino, che si voltò verso di lui.

« Chi ha raccolto il messale? ».

« Che messale? ».

« Quello della contessa... È rimasto qui... ».

« Ah sì?... ».

« Ehi tu, vieni qui! » disse Maigret al campanaro. « Hai visto per caso il messale che si trovava in questo posto? ».

« Io? ».

O era idiota o faceva finta di esserlo. Maigret aveva i nervi a fior di pelle. In fondo alla navata scorse Maurice de Saint-Fiacre.

« Chi si è avvicinato a questo banco? ».

« Alla messa delle sette c'era la moglie del dottore... ».

« Pensavo che il dottore non fosse credente ».

« Lui può darsi! Ma sua moglie... ».

« E allora dica a tutti in paese che c'è una grossa ricompensa per chi mi riporterà il messale ».

« Al castello? ».

« No! Da Marie Tatin ».

Uscirono. Maurice de Saint-Fiacre camminava di nuovo al suo fianco.

« Non ci capisco niente in questa storia del messale ».

« È morta per arresto cardiaco, no?... Una cosa del genere può essere provocata da una forte emozione... Ed è accaduto subito dopo la comunione, vale a dire dopo che la contessa aveva aperto il messale... Supponga che all'interno del messale... ».

Saint-Fiacre scrollò la testa con aria sfiduciata.

« Non vedo quale notizia potesse turbare mia madre fino a questo punto... D'altronde sarebbe talmente... talmente spregevole... ».

L'indignazione gli mozzava il respiro e il suo sguardo, rivolto al castello, era cupo.

« Andiamo a bere qualcosa! ».

Anziché verso il castello si avviò verso la locanda, dove il suo ingresso provocò imbarazzo. D'un tratto i quattro contadini che stavano bevendo non si sentirono più a casa propria! Lo salutarono con timoroso rispetto.

Marie Tatin accorse dalla cucina asciugandosi le mani col grembiule.

« Signor Maurice... » balbettò « sono ancora così sconvolta da quello che si dice... La nostra povera contessa... ».

Lei sì che piangeva. E di certo piangeva disperatamente ogni volta che al villaggio moriva qualcuno.

« Anche lei era alla messa, vero? » disse prendendo Maigret a testimone. « Se penso che nessuno si è accorto di niente... Sono venuti qui ad avvertirmi... ».

In simili casi è sempre imbarazzante mostrarsi meno addolorati di persone a cui non dovrebbe importare nulla. Maurice ascoltava le condoglianze di Marie cercando di nascondere il fastidio, e per darsi un contegno prese una bottiglia di rum dalla mensola e riempì due bicchieri.

Mentre beveva d'un fiato, le sue spalle furono scosse da un brivido:

«Devo aver preso freddo stamattina venendo qui» disse a Maigret.

«In paese sono tutti raffreddati, signor Maurice...» osservò Marie.

E rivolgendosi a Maigret:

«Dovrebbe fare attenzione anche lei! Stanotte l'ho sentita tossire».

I contadini se ne andarono. La stufa era rovente.

«In un giorno come questo!» esclamò la donna.

E a causa dell'asimmetria dei suoi occhi era impossibile stabilire se guardasse Maigret o il conte.

«Non vi va di mangiare qualcosa? Ma tu guarda! Sono rimasta così sconvolta quando mi hanno detto... che non ho neppure pensato a cambiarmi...».

Si era limitata a infilarsi un grembiule sul vestito nero che metteva solo per andare a messa. E il suo cappellino era rimasto su un tavolo.

Maurice de Saint-Fiacre bevve un secondo bicchierino di rum e guardò Maigret come per chiedergli che cosa doveva fare.

«Andiamo!» disse il commissario.

«Torna per il pranzo? Ho ammazzato un pollo e...».

Ma i due uomini erano già fuori. Davanti alla chiesa c'erano quattro o cinque carrette: i cavalli erano stati legati agli alberi. Al di sopra del muretto del cimitero si vedeva un andirivieni di teste. Nel cortile del castello l'auto gialla costituiva l'unica macchia di colore.

«L'assegno è sbarrato?» chiese Maigret.

«Sì, ma verrà presentato all'incasso domani».

«Lei lavora molto?».

Silenzio. L'eco dei passi sulla strada indurita dal gelo. Il fruscio delle foglie morte trasportate dal vento. I cavalli che sbuffavano.

«Io sono né più né meno quel che si dice un buo-

no a nulla! Ho fatto un po' di tutto... Questi quarantamila franchi, per esempio... Volevo metter su una
casa di produzione cinematografica... Prima finan-
ziavo una radio... ».

Si udì una secca detonazione, a destra, al di là
dello stagno di Notre-Dame. Videro un cacciatore
che camminava a grandi passi verso l'animale che
aveva colpito e sul quale già si avventava il suo cane.

« È Gautier, l'intendente » disse Maurice. « De-
v'essere uscito per andare a caccia prima che... ».

Allora, d'improvviso, i nervi gli cedettero: pestò
rabbiosamente un piede e fece una smorfia, mentre
un singhiozzo gli saliva in gola.

« Povera vecchia!... » mormorò con le labbra che
tremavano. « È... è una vera infamia!... E quel lurido farabutto di Jean che... ».

Come per incanto, videro proprio Jean che andava su e giù per il cortile del castello in compagnia
del dottore: sembrava tutto preso da un discorso
appassionato, almeno a giudicare dal modo in cui
agitava le braccia magre.

Il vento portava, a folate, l'odore dei crisante-
mi.

3
IL CHIERICHETTO

Non c'era il sole a deformare le immagini, e non c'era neanche più il grigiore a sfumare i contorni. Ogni cosa si stagliava con crudele nitidezza: il tronco degli alberi, i rami secchi, i sassi, e soprattutto gli abiti neri delle persone venute al cimitero. I bianchi invece – pietre tombali o petti inamidati di camicie, cuffie di vecchie – sembravano irreali, perfidi: erano bianchi troppo bianchi, e stonavano.

Non fosse stato per la gelida tramontana che tagliava la faccia si sarebbe potuto credere di trovarsi sotto una campana di vetro un po' polverosa.

« Ci vediamo dopo! ».

Maigret lasciò il conte di Saint-Fiacre davanti al cancello del cimitero. Una vecchia, seduta sulla panchetta che si era portata da casa, offriva arance e cioccolato.

Le arance! Grosse! Ancora acerbe! E gelate... Legavano i denti e raspavano la gola, ma a dieci anni Maigret le divorava ugualmente, perché erano arance.

Si era rialzato il bavero di velluto del cappotto. Non guardava nessuno. Doveva girare a sinistra, lo sapeva: la tomba che cercava era la terza dopo il cipresso.

Ovunque intorno a lui c'erano fiori. Alcune lapidi erano state lavate il giorno prima dalle donne con spazzola e sapone. Le grate erano dipinte di fresco.

Qui giace Évariste Maigret...

«Guardi che non si può fumare!».

Il commissario quasi non si accorse che quella frase era rivolta a lui. Poi fissò il campanaro, che era anche il guardiano del cimitero, e si infilò in tasca la pipa ancora accesa.

Non riusciva a pensare a una sola cosa per volta. I ricordi arrivavano a ondate: ricordi di suo padre, di un compagno che era annegato nello stagno di Notre-Dame, del bambino del castello nella sua bella carrozzina...

Alcuni dei presenti lo stavano guardando. E lui guardava loro. Quelle facce le aveva già viste. Ma l'uomo che aveva un bambino in braccio, ad esempio, e che seguiva una donna incinta, ai suoi tempi era un marmocchio di quattro o cinque anni...

Maigret non aveva fiori. La tomba era coperta da una patina scura. Uscì dal cimitero con aria tetra e mormorò, facendo voltare un intero gruppetto di persone:

«Per prima cosa bisognerebbe ritrovare il messale!».

Non aveva voglia di tornare al castello. In quel luogo c'era qualcosa che lo disgustava, che lo indignava, anzi.

Non che si facesse illusioni sugli uomini. Ma non poteva sopportare che infangassero i suoi ricordi d'infanzia! Soprattutto la contessa, che gli era sempre apparsa nobile e bella come il personaggio di un libro illustrato...

E la ritrovava trasformata in una vecchia matta che manteneva dei gigolo!

Ma neanche! Non c'era niente di chiaro, di esplicito! Il famoso Jean si faceva passare per il segretario! Non era bello, e neppure tanto giovane!

E la povera vecchia, come la definiva suo figlio, si tormentava, combattuta fra il castello e la chiesa!

E l'ultimo conte di Saint-Fiacre rischiava di essere arrestato per un assegno a vuoto!

Qualcuno camminava davanti a lui con il fucile in spalla, e Maigret si accorse d'un tratto che si dirigeva verso la casa dell'intendente. Gli sembrò di riconoscere la figura che aveva visto da lontano nei campi.

Pochi metri separavano i due uomini, che avevano ormai raggiunto il cortile dove alcune galline, per ripararsi dal vento, si erano rannicchiate contro il muro con le piume tremanti.

« Ehilà! ».

L'uomo col fucile si girò.

« Lei è l'intendente dei Saint-Fiacre? ».

« E lei chi è? ».

« Commissario Maigret, della Polizia giudiziaria ».

« Maigret? ».

Non era la prima volta che l'intendente sentiva quel nome, ma non riusciva a mettere a fuoco i suoi ricordi.

« Ha già saputo? ».

« Mi hanno appena avvertito... Ero a caccia... Ma la polizia che cosa...? ».

Era un uomo piccolo, tarchiato, con i capelli e i baffi grigi, la pelle solcata da un reticolo di rughe profonde e uno sguardo che sembrava nascondersi dietro le folte sopracciglia.

« Mi hanno detto che il cuore... ».

« Dove sta andando? ».

« Non posso certo presentarmi al castello con gli stivali sporchi di fango e il fucile... ».

Dal carniere pendeva la testa di una lepre. Maigret guardava la casa verso la quale si stavano dirigendo.

« Hanno cambiato la cucina... ».

Lo sguardo dell'intendente era pieno di diffidenza.

« Saranno almeno quindici anni » mormorò.

« Qual è il suo nome? ».

« Gautier... Ma è vero che il signor conte è arrivato senza...? ».

In tutto il suo comportamento c'era un'ombra di esitazione, di reticenza. Aprì la porta di casa senza neanche proporre a Maigret di entrare.

Questi però entrò lo stesso, e subito girò a destra, verso la sala da pranzo che odorava di biscotti e acquavite stagionata.

« Se ha un momento, signor Gautier, avrei qualche domanda da farle... Al castello non hanno certo bisogno di lei... ».

« Presto! » disse una voce di donna proveniente dalla cucina. « Pare che sia orribile... ».

Maigret sfiorò con le dita il tavolo di quercia dagli angoli adorni di leoni intagliati. Era lo stesso di quando era bambino! Alla morte di suo padre l'avevano rivenduto al nuovo intendente.

« Posso offrirle qualcosa? ».

Gautier, forse per guadagnare tempo, si mise a scegliere una bottiglia nella credenza.

« Che ne pensa di questo signor Jean?... A proposito, qual è il suo cognome?... ».

« Métayer... Sono di Bourges... Una famiglia piuttosto per bene... ».

« Costava caro alla contessa? ».

Gautier, chiuso in un ostinato silenzio, versava l'acquavite nei bicchierini.

« In qualità di intendente immagino che lei si occupi di tutto... ».

« Di tutto! ».

« Allora? ».

«Non faceva nulla, quello lì... Qualche lettera personale... All'inizio sosteneva che con le sue conoscenze in campo finanziario avrebbe fatto guadagnare del denaro alla signora contessa... Ha comprato dei titoli che sono crollati nel giro di pochi mesi... Ma diceva che avrebbe recuperato tutto e anche di più grazie a un nuovo procedimento fotografico inventato da un suo amico... La signora contessa ha sborsato un centinaio di migliaia di franchi, e l'amico è sparito... E per finire c'è stata la storia della riproduzione dei cliché... Io non ci capisco niente... Più o meno come la fotoincisione o la fotocalcografia, ma più economica...».

«Jean Métayer si dava un gran daffare!».

«Si agitava molto senza concludere nulla... Scriveva articoli per il "Journal de Moulins", e quelli erano obbligati ad accettarli per via della signora contessa... Era lì che faceva le prove dei suoi cliché, e il direttore non osava metterlo alla porta... Alla sua!...».

E d'improvviso, in tono preoccupato:

«Non è successo niente fra lui e il signor conte?».

«Proprio niente».

«Immagino che lei sia qui per caso... Visto che era malata di cuore, non si vede perché...».

Quel che più gli dava fastidio era di non riuscire a incrociare lo sguardo dell'intendente. Questi si asciugò i baffi e andò nella camera accanto.

«Se permette vorrei cambiarmi... Dovevo andare alla messa grande e adesso...».

«A più tardi!» disse Maigret uscendo.

Mentre richiudeva la porta, udì la signora Gautier, che non si era fatta vedere, chiedere al marito:

«Chi è?».

Nel cortile, là dove un tempo giocava a biglie sulla terra battuta, avevano messo delle lastre di arenaria.

La piazza traboccava di gente vestita a festa, e dalla chiesa filtrava il suono dell'organo. I bambini, nei loro abiti nuovi, non osavano giocare. E da ogni taschino spuntava un fazzoletto. Tutti avevano il naso rosso e se lo soffiavano rumorosamente.

A Maigret giungevano brandelli di frasi:

« È un poliziotto di Parigi... ».

« ... Dicono che è venuto giù per via della vacca di Mathieu, quella che è morta l'altra settimana... ».

Un giovanotto dall'aria spavalda, con un fiore rosso all'occhiello della giacca di sargia blu scuro, il viso ben lavato e i capelli lucidi di brillantina, osò buttar lì al commissario:

« La aspettano alla locanda per via del ragazzo che ha rubato... ».

E dava di gomito agli amici, cercando di trattenere una risata che finì poi per esplodere mentre lui voltava la testa dall'altra parte.

Non se l'era inventato. Da Marie Tatin l'aria, impregnata del fumo di pipa, sembrava ora più calda, più densa. Una famiglia di contadini, seduta a un tavolo, mangiava il cibo che si era portato da casa e beveva grandi tazze di caffè. Il padre tagliava con il temperino una salsiccia secca.

I giovani bevevano gazzosa, i vecchi acquavite. E Marie Tatin andava su e giù senza sosta.

All'arrivo del commissario, una donna che se ne stava in un angolo si alzò e fece un passo verso di lui con aria timorosa e imbarazzata, mordicchiandosi il labbro inferiore. Teneva una mano sulla spalla di un ragazzino di cui Maigret riconobbe i capelli rossi:

« È lei il signor commissario? ».

Tutti si voltarono a guardarla.

« Per prima cosa, signor commissario, voglio dirle che in famiglia siamo sempre stati onesti! Anche se siamo poveri... Capisce?... E quando mi sono accorta che Ernest... ».

Il ragazzo, pallidissimo, guardava fisso davanti a sé, senza tradire la minima emozione.

« Sei tu che hai preso il messale? » gli chiese Maigret chinandosi verso di lui.

Nessuna risposta. Uno sguardo acuto, selvatico.

« Su, rispondi al signor commissario... ».

Ma il ragazzo non apriva bocca. Senza pensarci due volte la madre gli mollò un ceffone, lasciandogli un'impronta rossa sulla guancia sinistra. La testa del ragazzo oscillò per un attimo. Gli occhi si riempirono di lacrime, le labbra ebbero un tremito, ma lui non si mosse.

« Insomma, disgraziato che non sei altro, vuoi rispondere sì o no? ».

E rivolgendosi a Maigret:

« Lo vede come sono i ragazzi di oggi? Sono mesi che piange perché gli compri un messale! Uno grande come quello del signor parroco! Ma le pare possibile?... Così quando mi hanno detto del messale della signora contessa ho subito pensato... Fra l'altro mi ero stupita di vederlo tornare a casa fra la seconda e la terza messa, perché di solito mangia in canonica... Sono andata nella sua camera e ho trovato questo sotto il materasso... ».

Un secondo ceffone colpì la guancia del ragazzo, che non tentò neppure di difendersi.

« Alla sua età io neanche sapevo leggere! Ma non avrei certo avuto la malizia di rubare un libro... ».

Un silenzio carico di rispetto regnava nella locanda. Maigret teneva il messale fra le mani.

« La ringrazio, signora... ».

Aveva fretta di esaminarlo. Si avviò verso il fondo della sala.

« Signor commissario... ».

La donna lo richiamò. Era confusa.

« Mi avevano detto che c'era una ricompensa... Mica perché Ernest... ».

Maigret le porse venti franchi, e lei, dopo averli

accuratamente riposti nella borsetta, spinse il figlio verso la porta brontolando minacciosa:

« E tu, avanzo di galera, vedrai cosa ti aspetta a casa... ».

Lo sguardo di Maigret incontrò quello del ragazzo. Fu questione di pochi secondi: entrambi capirono che erano amici.

Forse perché un tempo anche Maigret aveva desiderato – senza mai riuscire a possederne uno! – un messale con taglio in oro, che riportasse non solo l'ordinario della messa, ma tutti i testi liturgici su due colonne, in latino e in francese.

« A che ora torna per il pranzo? ».

« Non lo so ».

Maigret stava per salire in camera per esaminare il messale, ma il ricordo di tutti gli spifferi che entravano dal tetto lo indusse a scegliere la strada principale.

Camminando lentamente verso il castello, aprì il libro, che recava impresso nella rilegatura lo stemma dei Saint-Fiacre. O meglio: non lo aprì, perché il messale si aprì da solo, là dove fra due pagine era stato inserito un foglio di carta.

Pagina 221. *Preghiera dopo la Comunione.*

Quel foglio di carta era un frammento di giornale ritagliato alla meno peggio, che subito a prima vista aveva qualcosa di strano, come se fosse stato stampato male.

« Parigi, 1° novembre. Un drammatico suicidio ha avuto luogo stamattina in un appartamento della rue de Miromesnil, da molti anni abitazione del conte di Saint-Fiacre e della sua amica, una russa di nome Marie V.

« Dopo aver dichiarato alla sua amica di non poter reggere allo scandalo provocato da un componente della sua famiglia, il conte si è sparato alla tempia con una Browning ed è morto pochi minuti dopo senza aver ripreso conoscenza.

« Abbiamo motivo di ritenere che si tratti di un dramma familiare particolarmente penoso e che la persona in questione altri non sia che la madre dello sventurato ».

Un'oca finita chissà come sulla strada tese verso Maigret il becco spalancato per la rabbia. Le campane suonavano a distesa e i fedeli uscivano dalla chiesetta lentamente, a piccoli passi, portando con sé l'odore dell'incenso e dei ceri spenti.

Maigret si era infilato in tasca il messale che, voluminoso com'era, gli deformava il cappotto, e si era fermato per esaminare quel terribile pezzetto di carta.

L'arma del delitto! Un ritaglio di giornale non più grande di sette centimetri per cinque!

La contessa di Saint-Fiacre andava alla prima messa, si inginocchiava nello stallo che da due secoli era riservato ai membri della famiglia.

Faceva la comunione. Era tutto previsto. Poi apriva il messale per leggere la *Preghiera dopo la Comunione*.

L'arma era proprio lì! Maigret continuava a girare e rigirare quel pezzo di carta. C'era qualcosa che lo lasciava perplesso. Osservò fra l'altro l'allineamento dei caratteri, e si convinse che non era uscito da una rotativa come un vero giornale.

Si trattava di una semplice bozza, tirata a mano, col torchio. E infatti sul retro del foglio figurava esattamente lo stesso testo.

L'assassino non era andato tanto per il sottile, o forse non ne aveva avuto il tempo. Contava sul fatto che alla contessa non sarebbe venuto in mente di girare il foglio. E che sarebbe morta prima: per l'emozione, l'indignazione, la vergogna, l'angoscia.

Sul viso di Maigret c'era un'espressione che faceva paura: non aveva mai visto un delitto così vile e al tempo stesso così ben congegnato.

E chi lo aveva commesso aveva anche pensato di avvertire la polizia!

Nella convinzione che il messale non sarebbe stato ritrovato...

Sì, era andata così! Il messale non doveva essere ritrovato! E a quel punto sarebbe stato impossibile persino parlare di delitto, e accusare chicchessia! La contessa era morta per un improvviso arresto cardiaco!

D'improvviso fece dietro front. Quando arrivò da Marie Tatin, tutti parlavano di lui e del messale.

« Sapete dove abita il piccolo Ernest? ».

« Sulla via principale, la terza casa dopo la drogheria... ».

Maigret ci andò di corsa. Una catapecchia a un solo piano. Ai due lati della credenza, fotografie ingrandite del padre e della madre. La donna, già in abito da casa, era nella cucina che odorava di arrosto di manzo.

« Suo figlio non c'è? ».

« Si sta cambiando. Ci mancherebbe solo che sporcasse i vestiti della domenica... Ha visto che bella strigliata gli ho dato!... E pensare che da noi ha avuto sempre il buon esempio... ».

Aprì una porta e gridò:

« Vieni qui, delinquente! ».

E si vide il ragazzo in mutande che cercava di nascondersi.

« Gli dia il tempo di vestirsi! » disse Maigret. « Ci parlerò dopo... ».

La donna continuava a preparare il pranzo. Suo marito doveva essere da Marie Tatin a bere l'aperitivo.

Alla fine la porta si aprì ed entrò Ernest, sornione: si era messo l'abito di tutti i giorni, che aveva i pantaloni troppo lunghi.

« Andiamo a fare due passi... ».

« Lo porta fuori?... » esclamò la donna. « Ma allora... Su, Ernest, va a metterti l'abito bello... ».

« Lasci stare, signora!... Vieni, giovanotto... ».

La strada era deserta. L'intera vita del paese sembrava essersi concentrata nella piazza, al cimitero e da Marie Tatin.

« Domani ti regalerò un messale ancora più bello, con le iniziali di ogni versetto in rosso... ».

Il ragazzo rimase sconcertato. Sicché il commissario sapeva che esistevano messali con i capilettera rossi, come quello che si trovava sull'altare!

« Però mi devi dire sinceramente dove hai preso quell'altro! Non ti sgriderò... ».

Era curioso vedere la vecchia diffidenza contadina che faceva capolino nel ragazzo! Non diceva una parola! Era già sulla difensiva!

« L'hai trovato sull'inginocchiatoio? ».

Silenzio! Aveva le guance e la parte superiore del naso cosparse di lentiggini. Le labbra carnose erano contratte nello sforzo di non tradire alcuna emozione.

« Non hai capito che sono amico tuo? ».

« Sì... Lei ha dato venti franchi alla mamma... ».

« E allora? ».

Il ragazzo pregustava la vendetta.

« Tornando a casa, la mamma mi ha detto che mi aveva dato uno schiaffo solo per fare scena, e mi ha regalato cinquanta centesimi... ».

Bersaglio colpito! Sapeva il fatto suo, il ragazzo! Quali pensieri andava rimuginando in quella testa troppo grossa per il suo corpo magro?

« E il sacrestano? ».

« Non mi ha detto niente... ».

« Chi ha preso il messale dall'inginocchiatoio? ».

« Non lo so... ».

« E tu dove l'hai trovato? ».

« Sotto la mia cotta, nella sacrestia... Dovevo andare a mangiare in canonica. Mi ero dimenticato il fazzoletto... Spostando la cotta ho sentito qualcosa di duro... ».

« C'era anche il sacrestano? ».

« Era in chiesa a spegnere i ceri... Guardi che quelli con le lettere rosse costano molto cari... ».

Insomma, qualcuno aveva preso il messale dall'inginocchiatoio e l'aveva momentaneamente nascosto in sacrestia sotto la cotta del chierichetto, con il chiaro intento di recuperarlo più tardi!

« L'hai aperto? ».

« Non ne ho avuto il tempo... Avevo voglia del mio uovo alla coque... Perché la domenica... ».

« Lo so... ».

Ed Ernest si chiese come facesse quell'uomo di città a sapere che ogni domenica, fra la seconda e la terza messa, gli davano un uovo e il pane con la marmellata.

« Puoi andare... ».

« Davvero mi regalerà...? ».

« Un messale, certo... Domani... Arrivederci, ragazzo mio... ».

Maigret gli tese la mano, ed Ernest esitò un istante prima di porgergli la sua.

« Tanto lo so che sono tutte balle! » disse però mentre si allontanava.

Un delitto in tre tempi: qualcuno aveva composto o fatto comporre l'articolo con una linotype, di quelle che si trovano solo in un giornale o in una grande tipografia.

Qualcuno aveva infilato il foglio nel messale scegliendo con cura la pagina.

E qualcuno aveva recuperato il messale, nascondendolo provvisoriamente in sacrestia, sotto la cotta.

Tutto questo era opera dello stesso uomo? Oppure ogni azione aveva un diverso responsabile? O ancora due di queste azioni avevano un unico responsabile?

Passando davanti alla chiesa, Maigret vide il parroco che usciva e si dirigeva verso di lui. Lo attese sotto i pioppi, vicino alla vecchia che vendeva arance e cioccolato.

«Sto andando al castello...» disse mentre raggiungeva il commissario. «È la prima volta che celebro la messa senza sapere nemmeno quello che faccio... Il pensiero che un delitto...».

«E si tratta proprio di un delitto!» mormorò Maigret.

Camminarono in silenzio. Senza dire una parola, il commissario porse il foglio al parroco, che lo lesse e glielo rese.

E sempre senza dire una parola proseguirono per un altro centinaio di metri.

«Il disordine chiama il disordine... Ma era una creatura infelice...».

La tramontana, che soffiava con crescente violenza, costringeva entrambi a tenere una mano sul cappello.

«Non sono stato abbastanza energico...» aggiunse il prete con voce cupa.

«Lei?».

«Ogni giorno veniva da me... Era pronta a ritrovare le vie del Signore... Ma ogni giorno, là dentro...».

La sua voce si venò di asprezza.

«Non volevo andarci! Eppure era mio dovere...».

Due uomini percorrevano il viale che conduceva al castello: di lì a poco Maigret e il parroco li avrebbero incrociati, e il loro primo istinto fu di fermarsi. Avevano riconosciuto il dottore con la sua barbetta grigia, e accanto a lui Jean Métayer, alto e magro, sempre più infervorato nella conversazione. L'auto gialla era nel cortile. Era chiaro che Métayer non avrebbe osato rientrare fintantoché il conte fosse stato al castello.

Una luce equivoca avvolgeva Saint-Fiacre. La situazione era equivoca! Con quell'oscuro andirivieni!

«Venga!» disse Maigret.

E probabilmente il dottore disse la stessa cosa a

Métayer, poi lo trascinò con sé sino a quando poté esclamare:

« Buongiorno, signor parroco! Adesso finalmente sono in grado di rassicurarla!... È vero che sono un miscredente, ma immagino quanto debba essere angosciato al pensiero che nella sua chiesa sia stato commesso un delitto... Ebbene, no!... La scienza è categorica... La *nostra* contessa è morta per un arresto cardiaco... ».

Maigret si era avvicinato a Jean Métayer.

« Vorrei farle una domanda... ».

Avvertiva la tensione del giovane, che ansimava per l'angoscia.

« Quand'è stata l'ultima volta che è andato al "Journal de Moulins"? ».

« Io... aspetti... ».

Fu lì lì per parlare. Ma era scattata la diffidenza. Lanciò al commissario uno sguardo pieno di sospetto.

« Perché me lo chiede? ».

« Non ha importanza! ».

« Sono tenuto a rispoderle? ».

« Nessuno la obbliga! ».

Non che avesse proprio una faccia da depravato: ma una faccia ansiosa, tormentata, quello sì. Una tensione fuori del comune, degna dell'attenzione del dottor Bouchardon, che in quel momento parlava col parroco.

« So già che se la prenderanno con me!... Ma io mi difenderò... ».

« Certo che si difenderà, come no! ».

« Voglio vedere subito un avvocato... È un mio preciso diritto... E poi a che titolo lei mi sta...? ».

« Un momento! Lei ha studiato legge? ».

« Due anni! ».

Cercava di darsi un contegno, di sorridere.

« Non c'è stata denuncia né flagranza di reato... Di conseguenza lei non può assolutamente... ».

« Bravissimo! I miei più vivi complimenti! ».

« Il dottore dice che... ».

« E io sostengo che la contessa è stata assassinata dal più disgustoso dei farabutti. Legga qua! ».

E Maigret gli porse il foglio stampato. D'improvviso Jean Métayer si irrigidì e guardò il suo interlocutore come se stesse per sputargli in faccia.

« Il più... Come ha detto?... Guardi che non le consento... ».

Il commissario gli posò delicatamente una mano sulla spalla:

« Ma, caro il mio ragazzo, io non mi riferivo affatto *a lei*! Dov'è il conte? Vada avanti a leggere. Il foglio me lo renderà dopo... ».

Un lampo di trionfo negli occhi di Métayer.

« Il conte sta parlando di soldi con l'intendente!... Li troverà in biblioteca!... ».

Il prete e Bouchardon camminavano davanti a loro, e Maigret sentì il dottore che diceva:

« Ma no, signor parroco! È umano! Più che umano! Se soltanto lei avesse studiato un po' di fisiologia invece di spulciare i testi di sant'Agostino... ».

La ghiaia scricchiolava sotto i passi dei quattro uomini, che salirono lentamente i gradini della scalinata, resi ancora più bianchi e duri dal freddo.

4
MARIE VASSILIEV

Maigret non poteva certo essere onnipresente. Il castello era vasto. Ecco perché riuscì a farsi solo un'idea approssimativa di ciò che accadde quella mattina.

Era l'ora in cui, la domenica e i giorni di festa, i contadini rinviano il momento di tornare a casa e assaporano il piacere di stare insieme, ben vestiti, nella piazza del paese o al caffè. Alcuni erano già ubriachi. Altri parlavano troppo forte. E i ragazzi nei vestiti inamidati guardavano i loro papà con ammirazione.

Al castello di Saint-Fiacre, Jean Métayer, terreo in volto, si era chiuso in una stanza del primo piano, e lo si sentiva camminare su e giù.

«Se vuole venire con me...» disse il dottore al prete.

E lo guidò verso la camera della morta.

Al pianterreno, per tutta la lunghezza dell'edificio, correva un ampio corridoio sul quale si apriva una fila di porte. Maigret percepì un brusio di voci: il conte di Saint-Fiacre e l'intendente che discutevano in biblioteca.

Decise di raggiungerli, ma sbagliò porta e si ritrovò nel salotto. La porta di comunicazione con la biblioteca era aperta. In uno specchio dalla cornice dorata vide riflessa l'immagine del giovane, seduto con aria affranta su un angolo della scrivania, e dell'intendente, ben piantato sulle corte gambe.

« Avrebbe dovuto capire che non era il caso di insistere! » diceva Gautier. « Quarantamila franchi, poi! ».

« Chi mi ha risposto al telefono? ».

« Il signor Jean naturalmente! ».

« Sicché non l'ha neanche riferito a mia madre! ».

Con un lieve colpo di tosse Maigret entrò nella biblioteca.

« Di quale telefonata state parlando? ».

Maurice de Saint-Fiacre rispose senza alcun imbarazzo:

« Di quella che ho fatto l'altro ieri al castello. Come le ho già detto, avevo bisogno di soldi. Avevo intenzione di chiedere a mia madre la somma che mi serviva. Ma mi ha risposto quel... quel... insomma quel signor Jean, come dicono qui... ».

« E lui le ha detto che non c'era niente da fare? Però è venuto lo stesso... ».

L'intendente osservava i due uomini. Maurice si era alzato dalla scrivania sulla quale stava appollaiato.

« Comunque non è per parlare di questo che ho voluto avere un colloquio con Gautier! » disse con un moto di stizza. « Commissario, io non le ho nascosto la situazione. Domani sporgeranno denuncia contro di me. È evidente che con la morte di mia madre io sono l'unico erede naturale. Quindi ho chiesto a Gautier di trovare entro domani mattina i quarantamila franchi... E invece sembra che sia impossibile... ».

« Assolutamente impossibile! » ripeté l'intendente.

« A sentir lui non si può fare nulla prima dell'intervento del notaio, il quale riunirà gli interessati solo dopo le esequie. E Gautier sostiene che in ogni caso sarebbe difficile ottenere quarantamila franchi in prestito con la garanzia dei beni rimasti... ».

Si era messo a camminare su e giù.

« Chiaro, no? Più chiaro di così! E c'è la possibilità che non mi lascino neppure partecipare al funerale... Ma a proposito... C'è un'altra domanda che volevo farle... Lei ha parlato di delitto... Pensa che...? ».

« Non c'è stata alcuna denuncia, e probabilmente non ci sarà » disse Maigret. « Quindi la Procura non verrà investita del caso... ».

« Ci lasci soli, Gautier! ».

E non appena l'intendente se ne fu andato aggiunse a malincuore:

« Si è veramente trattato di un delitto? ».

« Un delitto che ufficialmente non riguarda la polizia! ».

« Si spieghi... Comincio a... ».

Dall'atrio giunse una voce di donna, e insieme quella più profonda dell'intendente. Maurice corrugò la fronte, si diresse verso la porta e la aprì con un gesto brusco.

« Marie? Si può sapere cosa... ».

« Maurice! Perché non mi lasciano entrare? È intollerabile! È un'ora che aspetto in albergo... ».

Parlava con un marcato accento straniero. Era Marie Vassiliev, arrivata da Moulins a bordo di un vecchio taxi che adesso stazionava nel cortile.

Era alta e molto bella, con capelli di un biondo forse artificiale. Accortasi che Maigret la squadrava, si mise a parlare molto velocemente in inglese e Maurice le rispose nella stessa lingua.

Marie gli chiese se aveva del denaro. Lui rispose che ormai era fuori discussione, che sua madre era morta e che lei doveva tornare a Parigi, dove l'avrebbe presto raggiunta.

Lei gli rivolse un sorrisetto sarcastico:

« E con quali soldi? Non ho neppure di che pagare il taxi! ».

Maurice de Saint-Fiacre cominciava a perdere la calma. La voce acuta della sua amante risuonava nel castello, trasformando il loro incontro in una scenata.

L'intendente era ancora nel corridoio.

« Se resti qui ci resterò anch'io! » proclamò Marie Vassiliev.

E Maigret ordinò a Gautier:

« Rimandi indietro la macchina e paghi l'autista ».

Il disordine aumentava. Non un disordine materiale, cui si potesse porre rimedio, ma un disordine morale che sembrava contagioso. Persino Gautier sembrava non capire più nulla.

« Eppure, commissario, bisognerà che parliamo » disse il giovane.

« Non adesso! ».

E gli indicò la donna dall'eleganza vistosa che andava su e giù per la biblioteca e il salotto come se ne stesse facendo l'inventario.

« Maurice, di chi è questo stupido ritratto? » esclamò ridendo.

Si udirono dei passi sulle scale. Maigret vide passare Jean Métayer: si era infilato un ampio cappotto e reggeva una borsa da viaggio. Come intuendo che non gli avrebbero permesso di andarsene, Métayer si fermò davanti alla porta della biblioteca e rimase in attesa.

« Dove sta andando? ».

« Alla locanda! Mi pare più dignitoso che io... ».

Maurice de Saint-Fiacre, nel tentativo di liberarsi della sua amante, la stava portando in una camera dell'ala destra del castello. Intanto continuavano a discutere in inglese.

« Crede davvero che sia impossibile ottenere quarantamila franchi in prestito con la garanzia del castello?» chiese Maigret all'intendente.

«È difficile».

«E allora tenti l'impossibile, già da domani mattina».

Il commissario stava per andarsene, ma poi, all'ultimo momento, decise di salire al primo piano, dove lo aspettava una sorpresa. Mentre giù da basso tutti sembravano agitarsi vanamente, lì, nella camera della contessa di Saint-Fiacre, regnava l'ordine.

Il dottore, con l'aiuto della cameriera, aveva vestito il cadavere.

L'atmosfera non era più quella sordida ed equivoca del mattino! E anche il corpo non era più lo stesso.

La morta, con indosso una camicia da notte bianca e un crocifisso fra le mani giunte, era stesa sul letto a baldacchino in un atteggiamento pieno di pace e dignità.

Non mancava nulla: i ceri accesi, l'acqua santa e un ramoscello d'ulivo in un bicchiere.

Vedendo entrare Maigret, Bouchardon gli rivolse uno sguardo che significava: «Che ne dice? Non abbiamo fatto un buon lavoro?».

Le labbra del prete si muovevano nella preghiera senza emettere un suono. Gli altri due se ne andarono, e lui restò solo con la morta.

Nella piazza davanti alla chiesa i gruppetti si erano diradati. Le tende delle case lasciavano intravedere le famiglie riunite a tavola per il pranzo.

Per un attimo il sole tentò di squarciare la coltre di nubi, ma subito il cielo ridiventò livido e gli alberi furono percorsi da un fremito ancora più violento.

Seduto nell'angolo vicino alla finestra, Jean Métayer mangiava meccanicamente osservando la strada vuota. Maigret aveva preso posto all'altro capo della sala da pranzo della locanda. Fra loro una famiglia arrivata da un paese vicino: si erano portati le provviste da casa, e Marie Tatin serviva loro da bere.

La povera Tatin era sconvolta: non riusciva a capire più niente di quel che succedeva. Al massimo le capitava di affittare ogni tanto una camera a un operaio che veniva a fare dei lavori al castello o in una fattoria.

E adesso oltre a Maigret aveva un nuovo pensionante: il segretario della contessa.

Non osava fare domande. Per tutta la mattina aveva sentito i suoi clienti raccontare cose spaventose. E aveva sentito fra l'altro parlare di polizia!

« Ho proprio paura che il pollo sia troppo cotto... » disse servendo Maigret.

Ma lo diceva con lo stesso tono con cui avrebbe detto: « Tutto mi fa paura! Non capisco cosa stia succedendo! Vergine Maria, proteggimi tu! ».

Il commissario la guardava con commozione. Aveva sempre avuto quell'aspetto timoroso e malaticcio.

« Marie, ti ricordi dello... ».

Lei sgranò gli occhi, e subito fece il gesto di schermirsi.

« ... dello scherzo delle rane! ».

« Ma... chi... ».

« Tua madre ti aveva mandato a raccogliere i funghi nel prato dietro lo stagno di Notre-Dame... Lì c'erano tre ragazzini che stavano giocando... Ti sei distratta un attimo, e loro ne hanno approfittato per sostituire i funghi che avevi nel paniere con delle rane... E tu per tutta la strada hai avuto paura, perché sentivi qualcosa che si muoveva... ».

Da qualche istante lo sguardo di lei si era fatto attento. Alla fine balbettò:

« Maigret? ».

« Attenta! Métayer ha finito il pollo e sta aspettando il resto ».

Di colpo Marie Tatin non sembrava più la stessa:

era più scombussolata di prima, ma anche, a tratti, più fiduciosa.

La vita è davvero strana! Anni e anni senza il più piccolo incidente, senza che nulla venga a interrompere il susseguirsi monotono dei giorni. E poi, all'improvviso, avvenimenti incomprensibili, drammi, cose che non si leggono neanche sui giornali!

Senza smettere di servire Jean Métayer e i contadini, lanciava di tanto in tanto a Maigret uno sguardo di complicità. E quando questi ebbe finito, gli chiese timidamente:

« Posso offrirle un bicchierino di acquavite? ».

« Un tempo mi davi del tu, Marie! ».

Lei rise. No, non le riusciva proprio!

« Ma tu non hai mangiato nulla! ».

« Sì, invece. Mangio sempre in cucina, senza sedermi... Un boccone qua... un boccone là... ».

Sulla strada passò una moto. Fecero in tempo a intravedere un giovane più elegante della maggior parte degli abitanti di Saint-Fiacre.

« Chi è? ».

« Non l'ha visto stamattina? È Émile Gautier, il figlio dell'intendente ».

« Dove sta andando? ».

« Di sicuro a Moulins! Ormai è quasi uno di città. Lavora in banca... ».

La gente usciva di casa, per passeggiare sulla strada o andare al cimitero.

Stranamente Maigret aveva sonno. Si sentiva sfinito, come se avesse compiuto uno sforzo eccezionale. E non certo perché si era alzato alle cinque e mezzo del mattino o perché aveva preso freddo.

Era l'atmosfera a opprimerlo. Il dramma lo aveva colpito personalmente, e si sentiva pieno di disgusto.

Sì, disgusto era la parola giusta! Mai avrebbe immaginato di ritrovare il paese dov'era nato in simili condizioni. La tomba di suo padre aveva la lapide annerita dal tempo, e gli avevano pure proibito di fumare!

Di fronte a lui Jean Métayer si dava un gran tono. Sapeva che lo stavano osservando. Mangiava sforzandosi di apparire calmo o di abbozzare un vago sorriso di scherno.

«Un bicchierino?» chiese anche a lui Marie Tatin.

«No, grazie. Non bevo mai alcolici...».

Aveva ricevuto una buona educazione. E ci teneva a esibirla, in tutte le occasioni. Lì, nella locanda, mangiava con gli stessi gesti manierati che usava al castello.

Alla fine del pasto, chiese:

«Ha un telefono?».

«No, ma c'è una cabina qui di fronte...».

Attraversò la strada ed entrò nella drogheria tenuta dal sacrestano, dov'era sistemata la cabina. Evidentemente chiese un'interurbana, perché restò a lungo in attesa nel negozio, fumando una sigaretta dopo l'altra.

Al suo ritorno i contadini se n'erano già andati. Marie Tatin, prevedendo che con i vespri sarebbero arrivati altri clienti, lavava i bicchieri.

«A chi ha telefonato? Guardi che mi basta poco per scoprirlo...».

«A mio padre, a Bourges».

Il tono era secco, risentito.

«Gli ho chiesto di mandarmi immediatamente un avvocato».

Faceva pensare a quei ridicoli cagnetti che ringhiano minacciosi prima ancora che si faccia il gesto di toccarli.

«È così sicuro che avrà delle noie?».

«Le sarò grato se non mi rivolgerà più la parola prima dell'arrivo del mio avvocato. E mi creda, rimpiango che in paese ci sia una sola locanda».

Chissà se riuscì a cogliere ciò che il commissario bofonchiò allontanandosi!

« Imbecille!... Lurido imbecille!... ».

E Marie Tatin, senza sapere perché, ebbe paura di rimanere sola con lui.

Era destino che la giornata si svolgesse sino alla fine all'insegna del disordine, dell'incertezza – probabilmente perché nessuno si sentiva autorizzato a prendere le redini della situazione.

Maigret, infagottato nel suo pesante cappotto, vagava per il paese. Compariva ora nella piazza della chiesa, ora nei dintorni del castello, le cui finestre si illuminavano l'una dopo l'altra.

Si stava facendo notte. La chiesa, piena di luce, risuonava della voce dell'organo. Il campanaro chiuse il cancello del cimitero.

La gente, riunita in gruppetti ormai quasi invisibili nel buio, si chiedeva se fosse il caso di sfilare al capezzale della contessa. I due uomini che andarono per primi al castello furono ricevuti dal maggiordomo, altrettanto incerto sul da farsi. Nessuno aveva pensato al vassoio per i biglietti da visita. Cercarono Maurice de Saint-Fiacre per avere istruzioni, e la russa disse che era fuori a prendere una boccata d'aria.

Quanto a lei, era stesa sul letto completamente vestita, e fumava sigarette con il filtro di cartone.

Allora il cameriere scrollò le spalle e fece segno alla gente di entrare.

Fu come un segnale. All'uscita dai vespri ci furono dei conciliaboli.

« Ti dico di sì! Il vecchio Martin e Bonnet ci sono già andati! ».

E ci andarono tutti, in processione. Il castello era male illuminato. I contadini sfilavano lungo il corridoio, e le loro sagome si stagliavano una dopo l'altra contro le finestre. Le madri tenevano i bambini per mano e li strattonavano per farli stare zitti.

La scala! Il corridoio del primo piano! Poi la stanza da letto, dove quella gente entrava per la prima volta.

A quell'invasione assisteva, con orrore, solo la cameriera della contessa. Tutti si facevano il segno della croce con un ramoscello d'ulivo immerso nell'acqua santa. I più audaci sussurravano:

« Sembra che dorma! ».

E altri facevano eco:

« Non deve aver sofferto... ».

Poi i passi risuonavano sul parquet sconnesso. Gli scalini scricchiolavano. Le madri dicevano:

« Sst!... E tieniti alla ringhiera... ».

La cuoca, dal seminterrato, vedeva solo le gambe di quelli che passavano.

Quando Maurice de Saint-Fiacre rientrò, l'invasione era al culmine. Guardò quei contadini con occhi pieni di sorpresa, ed essi si chiesero se dovevano fargli le condoglianze. Ma Maurice, dopo averli salutati con un cenno del capo, si diresse verso la stanza di Marie Vassiliev, dove lo udirono parlare in inglese.

Maigret, intanto, si trovava in chiesa. Lo scaccino, con lo spegnitoio in mano, andava di cero in cero. Nella sacrestia il prete si toglieva i paramenti sacri.

Ai due lati della chiesa c'erano i confessionali con le tendine verdi destinate a proteggere dagli sguardi i penitenti. Maigret si ricordava di quando era troppo piccolo perché la tendina potesse nascondergli il viso.

Dietro di lui il campanaro, che non lo aveva visto, chiuse il portale e tirò i chiavistelli.

Allora il commissario attraversò rapidamente la navata ed entrò nella sacrestia. Vedendolo comparire, il prete gli rivolse uno sguardo pieno di stupore.

« Signor parroco, la prego di scusarmi! Prima di tutto vorrei farle una domanda... ».

Il viso del prete, dai lineamenti regolari, era serio, ma a Maigret sembrò che i suoi occhi fossero lucidi di febbre.

«Stamattina si è verificato un fatto sconcertante. Il messale della contessa, che si trovava sul suo inginocchiatoio, è improvvisamente scomparso, ed è stato ritrovato in questa stanza, nascosto sotto la cotta del chierichetto...».

Silenzio. Il rumore dei passi del sacrestano sul tappeto della chiesa. E i passi più pesanti del campanaro che usciva da una porta laterale.

«Solo quattro persone potevano... Le chiedo scusa!... Il chierichetto, il sacrestano, il campanaro e...».

«Io!».

La voce del prete era calma. Il suo viso era illuminato da un solo lato dalla fiamma tremolante di una candela. Da un turibolo un sottile filo di fumo azzurro saliva a spirale verso il soffitto.

«È stato...?».

«Sono stato io a prendere il messale e a portarlo qui, in attesa che...».

La teca delle ostie, le ampolle e il campanello erano al loro posto, come quando da bambino Maigret faceva il chierichetto.

«Lei sapeva cosa c'era nel messale?».

«No».

«Allora...».

«Signor commissario, mi vedo costretto a chiederle di non rivolgermi altre domande. Il segreto della confessione mi impone...».

Per una involontaria associazione di idee, Maigret si ricordò del catechismo, nella sala da pranzo della canonica. E della scena edificante che aveva preso forma nella sua mente quando il vecchio parroco aveva raccontato la storia di un prete del Medioevo che si era fatto strappare la lingua piuttosto che tradire il segreto della confessione.

La sua retina l'aveva conservata intatta per trentacinque anni.

« Lei sa chi è l'assassino... » mormorò.

« Dio lo sa... Mi scusi... Devo far visita a un malato... ».

Uscirono dal giardino della canonica, che un cancelletto divideva dalla strada. In lontananza si vedevano i contadini lasciare a gruppetti il castello e poi sostare poco più in là per commentare gli avvenimenti.

« Non pensa, signor parroco, che il suo posto sia... ».

Ma si imbatterono nel dottore, che borbottò come fra sé e sé:

« Senta, parroco! Ormai sembra di essere a una fiera... Forse sarebbe il caso di andare laggiù a mettere un po' di ordine... Non le pare?... Non foss'altro, per tranquillizzare i contadini... Ah! C'è anche lei, commissario!... Non c'è che dire! Sta facendo un bel... A questo punto metà del paese accusa il giovane conte di... Soprattutto da quando è arrivata quella donna!... L'intendente andrà dai fittavoli per vedere di raccogliere i quarantamila franchi che a quanto pare occorrono per... ».

« Dannazione! ».

Maigret si allontanò. Si sentiva troppo amareggiato. Adesso lo accusavano anche di essere il responsabile di quel disordine... Forse aveva commesso un errore. Ma quale? Avrebbe dato qualsiasi cosa perché tutto si svolgesse in un'atmosfera di dignità!

Si diresse a grandi passi verso la locanda, dove c'era già parecchia gente. Colse solo qualche frammento di frase:

« Dicono che se non li trova finirà in galera... ».

Marie Tatin era l'immagine stessa della desolazione. Andava e veniva incessantemente, con i suoi passettini da vecchia. E non aveva più di quarant'anni.

« La gazzosa è per lei?... Chi ha ordinato due birre?... ».

Nel suo angolo Jean Métayer scriveva, sollevando ogni tanto il capo per ascoltare i discorsi dei presenti.

Maigret gli si avvicinò, ma non riuscì a decifrare quelle zampe di gallina. Vide però che i capoversi erano ben allineati, con poche cancellature, e che ciascuno era preceduto da un numero:

1°...
2°...
3°...

In attesa dell'avvocato, Métayer preparava la sua difesa!

A pochi metri una donna diceva:

«Non c'erano neanche lenzuola pulite, e hanno dovuto andarle a chiedere alla moglie dell'intendente...».

Pallido, con la faccia tirata, ma con una luce di determinazione nello sguardo, Métayer scriveva:

4°...

5

IL SECONDO GIORNO

Maigret dormì di un sonno agitato e insieme voluttuoso, come si può dormire solo in una camera che odora di stalla, di mele e di fieno. Da ogni angolo gli arrivavano addosso correnti d'aria. E le lenzuola erano fredde come il ghiaccio, tranne che nel punto esatto, una soffice e intima cavità, che aveva scaldato col suo corpo. Così, raggomitolato su se stesso, cercava di evitare il più piccolo movimento.

Dalla mansarda attigua gli erano giunti più volte i colpi di tosse di Jean Métayer. Finché udì i passi furtivi di Marie Tatin che si alzava.

Rimase a letto ancora qualche minuto. Poi accese la candela, ma non ebbe il coraggio di lavarsi con l'acqua gelata della brocca: rimandando a più tardi la toilette, scese in pantofole, senza solino.

Giù da basso Marie Tatin versava petrolio sul fuoco che non voleva prendere. Aveva i capelli fissati con le forcine e arrossì nel vedere il commissario.

« Non sono neanche le sette... Il caffè non è ancora pronto... ».

Un pensiero angustiava Maigret. Una mezz'ora

prima, nel dormiveglia, gli era sembrato di sentire un'auto. Saint-Fiacre non è sulla strada maestra, e la corriera che lo attraversa passa solo una volta al giorno.

« Marie, a che ora parte la corriera? ».

« Mai prima delle otto e mezzo! E il più delle volte verso le nove ».

« Questa è già la campana della messa? ».

« Sì, d'inverno suona alle sette, d'estate alle sei... Non vuole scaldarsi un po'? ».

E gli indicò il fuoco che finalmente scoppiettava.

« Quando ti deciderai a darmi del tu? ».

Maigret si sentì a disagio nel cogliere sul viso della povera Marie un sorriso civettuolo.

« Il caffè sarà pronto fra cinque minuti... ».

Non avrebbe fatto chiaro prima delle otto, e il freddo era ancora più pungente del giorno prima. Maigret, col bavero del cappotto rialzato e il cappello calcato fin sugli occhi, s'incamminò lentamente verso la macchia luminosa della chiesa.

Non era più un giorno di festa. In chiesa c'erano solo tre donne, e la messa aveva un che di affrettato, di furtivo. Il prete andava troppo rapidamente da un punto all'altro dell'altare. E troppo rapidamente si girava con le braccia aperte per farfugliare:

« Dominus vobiscum! ».

Il chierichetto, che faceva fatica a stargli dietro, diceva « Amen » al momento sbagliato e si precipitava sul campanello.

A che cosa era dovuta tutta quella fretta? A un nuovo attacco di panico? Fatto sta che nel brusio delle preghiere si distingueva a tratti il respiro dell'officiante, che riprendeva fiato tra una parola e l'altra.

« Ite missa est... ».

Quant'era durata la messa? Certo non più di dodici minuti. Le tre donne si alzarono. Il parroco recitava l'ultimo Vangelo. Un'auto si fermò davanti alla chiesa, e sul sagrato risuonarono dei passi esitanti.

Maigret era rimasto in fondo alla navata, addossato al portale, e quando questo si aprì si trovò faccia a faccia con il nuovo venuto.

Era Maurice de Saint-Fiacre. La sorpresa fu tale che il suo primo istinto fu quello di battere in ritirata mormorando:

« Mi scusi... Io... ».

Poi, cercando di darsi un contegno, fece un passo avanti.

« La messa è finita? ».

Era in preda a un evidente nervosismo e aveva gli occhi cerchiati, come se non avesse chiuso occhio per tutta la notte. Insieme a lui era entrata una folata d'aria gelida.

« Arriva da Moulins? ».

I due uomini parlavano a fior di labbra. Intanto il prete recitava la preghiera che segue il Vangelo e le donne, chiusi i messali, recuperavano borse e ombrelli.

« Come fa a saperlo?... In effetti io... ».

« Forse è meglio che usciamo ».

Il prete e il chierichetto erano spariti nella sacrestia, e lo scaccino spegneva gli unici due ceri che erano serviti per la messa.

Fuori l'orizzonte si rischiarava, e il bianco delle case vicine si stagliava nella penombra. L'auto gialla era là, fra gli alberi della piazza.

Il disagio di Maurice de Saint-Fiacre era palese. Guardava Maigret con un certo stupore: si meravigliava forse di vederlo con la barba non fatta e senza solino sotto il cappotto.

« Si è alzato davvero presto!... » mormorò il commissario.

« Il primo treno, un rapido, parte da Moulins alle sette e tre minuti... ».

« Non capisco! Non mi sembra che lei l'abbia preso... ».

« Dimentica Marie Vassiliev... ».

Ma certo! Era ovvio! La presenza dell'amante di Maurice non poteva che suscitare imbarazzo al castello! Così lui l'aveva portata a Moulins in auto, l'aveva messa sul treno per Parigi e, sulla via del ritorno, era entrato per caso nella chiesa illuminata.

Eppure Maigret non sembrava soddisfatto. Cercava di seguire gli sguardi angosciati del conte, che aveva tutta l'aria di attendere o temere qualcosa.

« Dev'essere un tipo da prendere con le molle! » insinuò il commissario.

« Per lei è un brutto periodo. E questo la rende molto suscettibile... La sola idea che io possa avere la tentazione di nascondere il nostro legame... ».

« Da quanto dura? ».

« Da circa un anno... I soldi non le interessano... Abbiamo avuto momenti difficili... ».

Lo sguardo del conte si era finalmente fissato su un punto. Maigret lo seguì e scorse alle sue spalle il parroco, che era appena uscito dalla chiesa. Ebbe l'impressione che i loro sguardi si fossero incrociati, e che il prete fosse imbarazzato almeno quanto il conte di Saint-Fiacre.

Il commissario fece per rivolgergli la parola, ma il parroco, dopo averli salutati in maniera goffa e frettolosa, entrò precipitosamente nella canonica come se stesse fuggendo.

« Non ha l'aspetto di un parroco di campagna... ».

Maurice non rispose. Attraverso la finestra illuminata potevano vedere il parroco seduto a tavola per la colazione e la domestica che gli portava una caffettiera fumante.

I bambini cominciavano ad avviarsi verso la scuola con la cartella in spalla. La superficie dello stagno di Notre-Dame scintillava.

« Che disposizioni ha dato per... » cominciò Maigret.

E Saint-Fiacre, con improvvisa asprezza:

« Per che cosa? ».

« Per i funerali... Chi ha vegliato stanotte nella camera mortuaria? ».

« Nessuno! Ne abbiamo parlato... Ma Gautier sosteneva che non si usa più... ».

Dal cortile del castello giunse il rombo di un motore a due tempi. Pochi istanti dopo sulla strada passò una moto diretta a Moulins, e Maigret riconobbe Gautier figlio, quello che aveva intravisto il giorno prima. Indossava un impermeabile grigio e un berretto a quadrettini.

Maurice de Saint-Fiacre non sapeva che pesci pigliare. Non osava risalire in macchina, e d'altra parte non aveva niente da dire al commissario.

« Gautier li ha poi trovati i quarantamila franchi? ».

« No... Sì... cioè... ».

Meravigliandosi di vederlo così turbato, Maigret lo fissò con curiosità.

« Li ha trovati sì o no? Ieri ho avuto l'impressione che non si desse un gran daffare. In fondo, nonostante le ipoteche e i debiti, dalla vendita delle proprietà si realizzerà una somma molto maggiore... ».

Maurice non rispose. Come se non avesse neanche ascoltato! Sembrava, non si sa perché, sconvolto, e la frase che pronunciò non aveva alcun rapporto con quanto lui e Maigret si erano appena detti.

« Me lo dica sinceramente, commissario... Lei sospetta di me? ».

« A che proposito? ».

« Ha capito benissimo... Ho bisogno di saperlo... ».

« Sospetto di lei come di chiunque altro... » rispose evasivamente Maigret.

Saint-Fiacre si aggrappò a questa risposta.

« Grazie!... È così che si deve parlare alla gente... Capisce quello che voglio dire?... Altrimenti la mia posizione è insostenibile... ».

« In quale banca verrà incassato l'assegno? ».

« Al Comptoir d'Escompte... ».

Una donna si dirigeva verso il lavatoio spingendo una carriola con due ceste piene di biancheria. Nella canonica il prete camminava su e giù leggendo il breviario, ma il commissario ebbe l'impressione che ogni tanto lanciasse loro degli sguardi carichi d'ansia.

« La raggiungo al castello ».

« Subito? ».

« Sì, fra un attimo ».

Era chiaro: Maurice de Saint-Fiacre non ce la faceva più! Salì sulla sua automobile come un condannato a morte! E il commissario notò che il prete, da dietro i vetri della canonica, lo guardava andar via.

Maigret voleva almeno mettersi il solino. Giunto di fronte alla locanda, incontrò Métayer che usciva dalla drogheria. Si era infilato il cappotto direttamente sul pigiama. Guardò il commissario con aria di trionfo.

« Una telefonata? ».

« Il mio avvocato arriva alle otto e cinquanta » replicò acido il giovane.

Sprizzava sicumera da tutti i pori. Rimandò indietro le uova alla coque perché non erano abbastanza cotte e con la punta delle dita tamburellò sul tavolo una marcetta allegra.

Dalla finestrella della sua camera, dov'era salito a vestirsi, Maigret poteva vedere il cortile del castello, l'automobile da corsa e Maurice de Saint-Fiacre, il quale, non sapendo che fare, si accingeva a tornare in paese a piedi.

Il commissario si affrettò, e qualche minuto più tardi era anche lui sulla strada, diretto al castello.

Si incontrarono a meno di cento metri dalla chiesa.

« Dove sta andando? » chiese Maigret.

« In nessun posto! Non so... ».

« Magari in chiesa, a pregare... ».

Saint-Fiacre impallidì, come se avesse colto nelle parole del commissario un significato misterioso e terribile.

I drammi non gli si confacevano: alto e forte, offriva l'immagine di un giovane sportivo e in perfetta salute.

Ma ad osservarlo meglio si scopriva in lui una sorta di mollezza: si era un po' appesantito, e i muscoli sembravano privi di energia. La notte insonne lo aveva come afflosciato.

« Ha fatto stampare le partecipazioni? ».

« No ».

« E come mai?... La famiglia... I nobili della zona... ».

Il giovane ebbe uno scatto di rabbia.

« Sa benissimo che non verrebbero! Un tempo sì! Quando era vivo mio padre... Durante la stagione della caccia, al castello avevamo anche trenta invitati, per intere settimane... ».

Nessuno lo sapeva meglio di Maigret che, di nascosto dai genitori, partecipava alle battute di caccia, felice di poter indossare il camiciotto bianco del battitore!

« Dopo... ».

E Maurice fece un gesto come per dire:

« La catastrofe... il sudiciume... ».

Probabilmente tutto il Berry sparlava della vecchia pazza che gettava al vento gli ultimi anni della sua vita con sedicenti segretari! E delle terre che erano costretti a vendere l'una dopo l'altra! E del figlio che faceva l'imbecille a Parigi!

« Pensa che la sepoltura potrà aver luogo domani?... Sarebbe meglio metter fine a questa situazione al più presto, capisce?... ».

Un carro di letame passava lento, e le sue grandi ruote sembravano macinare i ciottoli della strada. Si era fatto giorno, un giorno ancora più grigio del precedente, ma con meno vento. Maigret vide in lontananza Gautier che attraversava il cortile venendogli incontro.

Allora accadde una cosa strana.

« Vuole scusarmi?... » disse il commissario al suo interlocutore, allontanandosi in direzione del castello.

Fece cento metri e si girò. Maurice de Saint-Fiacre era sulla soglia della canonica. Era chiaro che aveva appena suonato il campanello, ma quando sentì su di sé lo sguardo del commissario si allontanò bruscamente senza aspettare che gli aprissero.

Non sapeva dove andare. Tutto il suo comportamento provava che si sentiva spaventosamente a disagio. Il commissario raggiunse l'intendente, che lo aveva visto arrivare e lo aspettava con aria astiosa.

« Le serve qualcosa? ».

« Solo un'informazione. Ha trovato i quarantamila franchi di cui il conte ha bisogno? ».

« No! E sfido chiunque a trovarli nell'intera regione! Tutti sanno quanto vale la sua firma ».

« E allora? ».

« E allora se la sbrigherà come può! La cosa non mi riguarda! ».

Saint-Fiacre tornava sui suoi passi. Si intuiva che aveva una voglia pazza di fare una cosa e che, per una ragione o per l'altra, non poteva farla. Alla fine si decise e si avviò verso il castello, fermandosi poi accanto ai due uomini.

« Gautier! La aspetto in biblioteca per darle disposizioni ».

E prima di andarsene aggiunse con evidente sforzo:

« A presto, signor commissario! ».

Passando davanti alla canonica, Maigret ebbe la netta sensazione che qualcuno lo stesse osservando da dietro le tende. Ma non poté averne la certezza, visto che era ormai giorno fatto e le luci erano spente.

Davanti alla locanda di Marie Tatin stazionava un taxi. All'interno del locale un uomo di una cinquantina d'anni, tutto in ghingheri, con i pantaloni a righe e la giacca nera profilata di seta, sedeva al tavolo di Jean Métayer.

Quando vide entrare il commissario, si alzò pieno di sollecitudine e si precipitò verso di lui con la mano tesa.

« Mi dicono che lei è funzionario della Polizia giudiziaria... Permetta che mi presenti... Avvocato Tallier, del foro di Bourges... Possiamo offrirle qualcosa?... ».

Anche Métayer si era alzato, ma dal suo atteggiamento si capiva che non approvava la cordialità del suo avvocato.

« Locandiera!... Se non le spiace, vorremmo ordinare... ».

E, conciliante:

« Che cosa desidera?... Con questo freddo, quello che ci vuole è un grog per tutti... Tre grog, ragazza mia... ».

La ragazza era Marie Tatin, che non era certo abituata a quei modi.

« Mi auguro, commissario, che vorrà scusare il mio cliente... Se capisco bene, si è mostrato un po' diffidente nei suoi confronti... Ma non deve dimenticare che è un ragazzo di buona famiglia... Non ha nulla da rimproverarsi, e si è legittimamente indignato per l'atmosfera di sospetto che ha avvertito intorno a sé... Oserei anzi dire che la sua irritazione di ieri è la prova migliore della sua completa innocenza... ».

Con uno così non c'era neanche bisogno di aprire la bocca. Faceva tutto lui, le domande come le risposte, accompagnandole con gesti soavi.

« Naturalmente non sono ancora al corrente di tutti i particolari... Se capisco bene, la contessa di

Saint-Fiacre è morta ieri durante la prima messa per un arresto cardiaco... Ma nel suo messale è stato trovato un foglio che lascia presumere che la sua morte sia stata provocata da una violenta emozione... Il figlio della vittima – che come per caso era nei paraggi – ha forse sporto denuncia?... No!... Denuncia che peraltro a mio giudizio non verrebbe accolta... Il gesto criminoso – sempre che si possa parlare di gesto criminoso – non ha infatti le caratteristiche necessarie perché possa essere istruito un procedimento penale...

« Fin qui siamo d'accordo, vero?... Se non c'è denuncia, non ci può essere azione giudiziaria...

« Certo lei deve proseguire nelle sue indagini, lo capisco. Indagini che, sottolineo, conduce personalmente, a titolo ufficioso...

« Ma il mio cliente non può accontentarsi di non essere penalmente perseguito. È necessario che sia scagionato da ogni sospetto...

« Mi segue?... In definitiva, qual era la sua posizione al castello?... Quella di un figlio adottivo... La contessa, rimasta sola, lontana da un figlio che le ha dato soltanto delusioni, ha trovato conforto nella devozione e nella rettitudine del suo segretario...

« Il mio cliente non è uno sfaccendato... Avrebbe potuto vivere al castello senza preoccupazioni... E invece ha preferito lavorare... Ha cercato degli investimenti... Si è persino interessato ad alcune recenti invenzioni...

« Se c'è qualcuno che poteva trarre vantaggio dalla morte della sua benefattrice, non è certo lui... Non mi faccia dire di più!...

« E ciò che desidero, commissario, è appunto aiutarla a stabilire...

« Aggiungo che prima dovrò, di concerto col notaio, prendere alcuni indispensabili provvedimenti... Jean Métayer è un ragazzo fiducioso... Mai avrebbe immaginato che potessero verificarsi simili eventi...

« Ciò che gli appartiene è al castello, mescolato a ciò che appartiene alla defunta contessa... ».

« E al castello sono già arrivati altri con la chiara intenzione di mettere le mani su... ».

« Qualche pigiama e un paio di vecchie ciabatte! » brontolò Maigret alzandosi.

« Come ha detto, scusi? ».

Per l'intera durata della conversazione Jean Métayer aveva preso appunti su un taccuino. E fu lui a calmare l'avvocato, che era scattato in piedi.

« Lasci perdere! Ho capito fin dal primo momento che nel commissario avevo un nemico! E sono poi venuto a sapere che in qualche modo era uno del castello... È nato lì all'epoca in cui suo padre era intendente dei Saint-Fiacre. Io l'avevo avvisata, avvocato... Lo ha voluto lei... ».

L'orologio segnava le dieci. Maigret calcolò che il treno di Marie Vassiliev doveva essere arrivato alla Gare de Lyon da circa mezz'ora.

« Vi prego di scusarmi! » disse. « Vi rivedrò a tempo debito ».

« Ma... ».

Entrò a sua volta nella drogheria di fronte, facendo tintinnare il campanello, e lì attese per un quarto d'ora la comunicazione con Parigi.

« È vero che lei è il figlio del vecchio intendente? ».

Maigret si sentiva stremato, fisicamente e moralmente: quel caso lo stancava più di dieci inchieste normali.

« Parigi in linea... ».

« Pronto!... Parlo con il Comptoir d'Escompte?... Qui la Polizia giudiziaria... Vorrei un'informazione... Stamattina qualcuno ha cercato di incassare un assegno firmato Saint-Fiacre?... È stato alle nove, lei dice... E l'assegno era scoperto... Pronto!... Aspetti un attimo, signorina... Avete pregato questa persona di tornare più tardi... Benissimo!... Proprio quello che volevo sapere... Una giovane donna, vero?... Circa un quarto d'ora fa... E ha versato i quarantamila franchi... La ringrazio... Ma certo che potete pagare!... No, no! Niente di particolare... Visto che il versamento è stato effettuato...».

Maigret uscì dalla cabina tirando un profondo sospiro di sfinimento.

Nel corso della notte Maurice de Saint-Fiacre aveva trovato i quarantamila franchi e aveva spedito la sua amante a Parigi per versarli in banca!

Uscendo dalla drogheria, il commissario vide il parroco con il breviario in mano allontanarsi dalla canonica in direzione del castello.

Allora accelerò il passo, corse quasi, per arrivare alla porta nello stesso momento.

Lo mancò di poco. Quando raggiunse il cortile d'onore, la porta si richiudeva alle spalle del parroco. E quando suonò, sentì un rumore di passi in fondo al corridoio, dalla parte della biblioteca.

6

I DUE FRONTI

« Vado a vedere se il signor conte può... ».

Senza dare al maggiordomo il tempo di finire la frase, il commissario raggiunse il corridoio e si diresse verso la biblioteca. Il domestico sospirò con aria rassegnata. Ormai non si riusciva neanche più a salvare le apparenze! La gente andava e veniva come fosse a casa propria! Era la fine!

Prima di aprire la porta della biblioteca, Maigret rimase un istante in ascolto, ma non udì alcun rumore. E fu proprio questo a rendere ancora più sconcertante la sua apparizione.

Bussò, pensando che forse il prete era altrove. Ma subito, nel silenzio assoluto della stanza, risuonò, ferma e chiara, una voce:

« Avanti! ».

Maigret spinse la porta e si fermò per caso su uno sfiatatoio. Il conte di Saint-Fiacre, in piedi, leggermente appoggiato al tavolo gotico, lo osservava.

Accanto a lui il prete fissava il tappeto mantenendosi perfettamente immobile, come per il timore che il più piccolo movimento potesse tradirlo.

Che cosa stavano facendo quei due? Non parlavano, non si muovevano! Sarebbe stato meno imbarazzante interrompere una scena patetica piuttosto che piombare in quel silenzio, così profondo che la voce sembrava disegnarvi cerchi concentrici come un sasso gettato nell'acqua.

Ancora una volta il commissario percepì la stanchezza di Saint-Fiacre. Il prete sembrava sgomento e tormentava con le dita il breviario.

«Chiedo scusa se vi disturbo...».

La frase suonò involontariamente ironica. Si possono forse disturbare persone inerti come cose inanimate?

«Ci sono novità dalla banca...».

Lo sguardo del conte si posò sul parroco: ed era uno sguardo duro, quasi rabbioso.

Tutta la scena sarebbe andata avanti come al rallentatore. Maigret aveva l'impressione di avere davanti a sé dei giocatori di scacchi che riflettono con la fronte appoggiata alla mano e rimangono per parecchi minuti in silenzio prima di muovere un pedone, per poi ritornare all'immobilità.

Ma a immobilizzarli non era tanto il fatto che stessero riflettendo, quanto piuttosto – Maigret ne era convinto – la paura di compiere un passo falso, una mossa sbagliata. Fra loro tre c'era un qualcosa di ambiguo, e ciascuno faceva avanzare il proprio pedone a malincuore, pronto a ritirarlo.

«Sono venuto a prendere istruzioni per le esequie!» sentì il bisogno di dire il prete.

Non era vero! Una mossa sbagliata! Così sbagliata che il conte di Saint-Fiacre sorrise.

«Sapevo che avrebbe chiamato la banca!» disse. «E le confesserò che se mi sono deciso a questo passo, è stato solo per liberarmi di Marie Vassiliev, che non voleva lasciare il castello... Le ho fatto credere che fosse di vitale importanza...».

Negli occhi del prete Maigret leggeva ora l'angoscia, e il biasimo.

«Sciagurato!» pensava di certo. «Si sta dando la

zappa sui piedi! Sta cadendo in trappola. È spacciato... ».

Silenzio. Lo sfregamento di un fiammifero e le boccate di fumo che il commissario buttava fuori una dopo l'altra mentre chiedeva al conte:

« Gautier ha trovato il denaro? ».

Una breve, brevissima, esitazione.

« No, commissario... Le dirò che... ».

Non era il viso di Saint-Fiacre a portare i segni del dramma che si stava svolgendo, ma quello del parroco! L'uomo era pallido, con una piega amara sulle labbra. E faceva evidenti sforzi per non intervenire.

« Signor commissario, vorrei... ».

Non ce la faceva più.

« Vorrei pregarla di metter fine a questa conversazione fino a quando non avremo avuto un colloquio a quattr'occhi... ».

E anche questa volta Maurice sorrise. Faceva freddo in quella stanza troppo ampia, dove si notava l'assenza dei libri più belli. Nel camino i ceppi erano pronti. Bastava gettarvi un fiammifero.

« Ha un accendino o...? ».

E mentre Saint-Fiacre si chinava per accendere il fuoco, il prete lanciò a Maigret uno sguardo angosciato, supplichevole.

« E ora » disse il conte tornando accanto ai due uomini « cercherò di chiarirle in poche parole la situazione. Per ragioni che mi sfuggono il signor parroco, che è pieno di buona volontà, è convinto che sia stato io a... Perché poi avere paura delle parole?... Che sia stato io a uccidere mia madre!... Non si tratta forse di un delitto? Anche se non è contemplato dalla legge... ».

Il prete non faceva più un gesto: se ne stava immobile e tremante come un animale che sente abbattersi su di sé il pericolo ma sa di non poterlo affrontare.

« Il signor parroco doveva avere una grande devozione per mia madre... E ha voluto senz'altro evitare che il castello si trovasse al centro di uno scandalo... Ieri sera mi ha fatto avere tramite il sacrestano quarantamila franchi e un biglietto... ».

E lo sguardo del prete diceva, al di là di ogni possibile dubbio:

« Sciagurato! Ti stai rovinando con le tue mani! ».

« Ecco il biglietto! » continuò Saint-Fiacre.

Maigret lo lesse sottovoce:

« Sia prudente. Prego per lei ».

Finalmente! Fu come una ventata d'aria fresca. Di colpo Saint-Fiacre non si sentì più inchiodato al suolo, condannato all'immobilità. E di colpo si tolse quella maschera di serietà che non gli era abituale.

Cominciò ad andare su e giù per la stanza, mentre la voce tradiva il sollievo.

« Dunque, commissario, è per questa ragione che lei mi ha visto stamattina gironzolare attorno alla chiesa e alla canonica... I quarantamila franchi, che ovviamente considero un prestito, li ho accettati innanzitutto, come le ho già detto, per allontanare la mia amante – mi scusi, signor parroco! –, e poi perché sarebbe stato particolarmente sgradevole venire arrestato in un momento simile... Ma stiamo in piedi come se... Accomodatevi, vi prego... ».

Andò verso la porta, l'aprì e tese l'orecchio: al piano di sopra si sentivano dei rumori.

« Ecco che ricomincia il corteo! » mormorò. « Bisognerà che telefoni a Moulins per far preparare la camera ardente... ».

E subito riprese:

« Immagino che adesso avrà capito! Una volta accettato il denaro, non mi restava che andare dal signor parroco e giurargli che non ero stato io. Ma non potevo farlo davanti a lei, commissario, senza aumentare ulteriormente i suoi sospetti... Tutto qui!... Stamattina, vicino alla chiesa, lei non mi ha lasciato solo neppure per un attimo, come se avesse indovinato i miei pensieri... Poi il signor parroco è venuto qui, e non so ancora per quale ragione, visto che quando lei è entrato non si era deciso a parlare... ».

Il suo sguardo si offuscò. Rise, come per dissipare il risentimento che si stava impadronendo di lui, ma fu un riso forzato.

« Semplice, vero? Un uomo che ha fatto una vita sregolata e che ha firmato degli assegni scoperti... Il vecchio Gautier mi evita!... Sarà senz'altro convinto anche lui che... ».

D'improvviso guardò il prete con stupore.

« Ma, signor parroco... Che cos'ha? ».

In effetti il prete aveva un'aria funerea. Il suo sguardo evitò il giovane, e tentò anche di evitare gli occhi di Maigret.

Maurice de Saint-Fiacre capì, ed esclamò con tanta più amarezza:

« Lo vede? Non mi crede ancora... Ed è proprio chi mi vuole salvare ad essere convinto della mia colpevolezza... ».

Si affacciò di nuovo alla porta e, dimenticando che in casa c'era il cadavere di sua madre, gridò:

« Albert!... Albert!... Ma si sbrighi, perdio!... Ci porti da bere... ».

Il maggiordomo accorse e si diresse verso un armadio, da cui estrasse una bottiglia di whisky e dei bicchieri. I tre uomini lo osservarono in silenzio. Poi Maurice de Saint-Fiacre disse con uno strano sorriso:

« Ai miei tempi non c'era whisky al castello ».

« È stato il signor Jean... ».

« Ah! ».

Ne buttò giù un bicchiere colmo e andò a chiudere la porta alle spalle del domestico.

« Sono cambiate un mucchio di altre cose... » mormorò come a se stesso.

Intanto non perdeva di vista il prete, che, sempre più a disagio, balbettò:

« Vi prego di scusarmi... C'è il catechismo che mi aspetta... ».

« Un momento... Lei, signor parroco, è ancora convinto che io sia colpevole... Su, non cerchi di negare!... I preti, si sa, non sono capaci di mentire... Ma ci sono alcuni punti che vorrei chiarire... Lei non mi conosce... Non era a Saint-Fiacre ai miei tempi... Ha solo sentito parlare di me... Di indizi veri e propri non ce ne sono... Il commissario, che era presente al dramma, ne sa qualcosa... ».

« La prego... » balbettò il prete.

« No!... Lei non beve?... Alla sua, commissario... ».

Il suo sguardo era cupo. Seguiva il filo dei pensieri, rabbiosamente.

« Ci sono parecchie persone sulle quali si potrebbero avere dei sospetti... Eppure lei sospetta di me, solo di me... Continuo a chiedermi perché... Stanotte a furia di pensare a tutte le possibili ragioni non ho chiuso occhio... E alla fine credo di aver capito... Che cosa le ha detto mia madre? ».

Questa volta il prete si fece pallidissimo.

« Non so niente... » balbettò.

« La prego, signor parroco... Lei mi ha dato una mano, d'accordo... I suoi quarantamila franchi mi permetteranno di riprendere fiato e di seppellire decentemente mia madre... La ringrazio di tutto cuore... Ma nel frattempo non rinuncia a far pesare su di me i suoi sospetti... Lei prega per me... È troppo, o non abbastanza... ».

Nella sua voce si cominciava a percepire una sfumatura di collera, di minaccia.

« In un primo momento ho pensato che dovevo avere una spiegazione con lei senza che il commissario Maigret fosse presente... Be', non le nascondo che adesso sono lieto che sia qui anche lui!... Più ci penso e più ho la sensazione che ci sia sotto qualcosa di poco chiaro...».

«Signor conte, la scongiuro, smetta di torturarmi...».

«E io l'avverto, signor parroco, che non se ne andrà di qui prima di avermi detto la verità!».

Era un altro uomo. Era esasperato. E come tutte le persone deboli e miti poteva essere di una ferocia inaudita.

Aveva alzato la voce, tanto che ormai dovevano sentirlo sin dalla camera mortuaria, situata proprio sopra la biblioteca.

«Lei vedeva regolarmente mia madre... E immagino che anche Jean Métayer frequentasse la sua chiesa... Chi dei due ha detto qualcosa?... Mia madre, non è vero?...».

Maigret si ricordò di ciò che aveva sentito il giorno prima:

«Il segreto della confessione...».

Capì allora le sofferenze del prete, la sua angoscia, il suo sguardo da martire mentre il torrente di parole di Saint-Fiacre lo investiva.

«Che cosa può averle detto?... La conosco, sa... Si può dire che ho assistito all'inizio del tracollo... Siamo fra adulti, gente che sa tutto della vita...».

Si guardò intorno, in preda a una collera sorda:

«C'è stato un tempo in cui tutti entravano in questa stanza trattenendo il respiro, perché ci lavorava mio padre, il *padrone*... Non c'era whisky nell'armadio... Ma gli scaffali erano carichi di libri come i favi di un'arnia sono saturi di miele...».

Anche Maigret se ne ricordava, se ne ricordava eccome!

«Il conte sta lavorando...».

Bastavano queste parole a far fare due ore di anticamera ai fittavoli!

«Il conte mi ha detto di andare da lui in biblioteca...».

E il padre di Maigret ne era turbato, perché quella convocazione assumeva il carattere di un grande avvenimento.

« Non sprecava i ceppi, e si accontentava di uno scaldino a petrolio: lo sistemava accanto a sé, lo preferiva al radiatore... » disse Maurice de Saint-Fiacre.

E al prete, che appariva scosso:

« Ma lei non può saperlo!... Ha conosciuto il castello quando già regnava il disordine... Mia madre aveva perso il marito... Il suo unico figlio a Parigi faceva una sciocchezza dopo l'altra e veniva qui solo per batter cassa... Allora, i segretari... ».

Aveva gli occhi così lucidi che Maigret si aspettava da un momento all'altro di vederne sgorgare una lacrima.

« Che cosa le ha detto?... Aveva paura di vedermi arrivare, vero?... Sapeva che ci sarebbe stato un altro buco da tappare, qualcosa da vendere per evitarmi ancora una volta dei guai... ».

« Si calmi, la prego! » disse il parroco con voce atona.

« Non prima che lei mi abbia detto... se ha sospettato di me senza conoscermi, fin dal primo momento... ».

Maigret intervenne.

« Il signor parroco ha fatto sparire il messale... » disse con lentezza.

Ormai aveva capito! E offriva un appiglio a Saint-Fiacre. Immaginava la contessa, combattuta fra il peccato e i rimorsi... Non aveva paura del castigo?... E non provava un po' di vergogna davanti a suo figlio?...

Era una donna angosciata, squilibrata! E forse un giorno, nel segreto del confessionale, aveva detto:

« Ho paura di mio figlio!... ».

Non poteva non aver paura di lui. Il denaro che elargiva ai vari Jean Métayer era denaro dei Saint-Fiacre, e spettava a Maurice. Maurice che prima o poi sarebbe venuto a chiedere spiegazioni! Maurice che...

Maigret sapeva che queste idee si stavano facendo strada, ancora confusamente, nella testa di Maurice. E lo aiutava a metterle a fuoco.

« Se la signora contessa ha parlato sotto il vincolo della confessione, il signor parroco non può rivelare nulla... ».

L'effetto fu immediato: Maurice de Saint-Fiacre pose bruscamente fine alla conversazione.

« La prego di scusarmi, signor parroco... Avevo dimenticato il suo catechismo... Spero che non me ne vorrà se ho... ».

Girò la chiave nella serratura e aprì la porta.

« La ringrazio... Non appena... non appena potrò, le restituirò i quarantamila franchi... Perché immagino che non siano suoi... ».

« Li ho chiesti alla signora Ruinard, la vedova del vecchio notaio... ».

« Grazie... Arrivederci... ».

Ebbe la tentazione di sbattere la porta, ma si trattenne. Guardò Maigret negli occhi e disse, scandendo le parole:

« Che schifo! ».

« Voleva... ».

« Voleva salvarmi, lo so!... Ha tentato di evitare lo scandalo, di rimettere insieme in qualche modo i cocci del castello di Saint-Fiacre... Non è questo il punto!... ».

Si versò del whisky.

« È a quella povera donna che penso!... Prenda Marie Vassiliev... E tutte le altre, a Parigi... Non hanno certo crisi di coscienza, quelle lì... Ma lei!... La verità è che in quel Métayer lei cercava soprattutto affetto, affetto da prodigare... Poi si precipitava a confessarsi... Probabilmente si considerava una specie di mostro... Di qui a temere che volessi vendicarmi... Ah! Ah!... ».

La sua risata faceva spavento!

« Mi ci vede a scagliarmi contro mia madre pieno di indignazione per... E questo parroco che non ha capito!... Lui giudica la vita attraverso i testi sacri!... Finché mia madre è stata viva, ha sicuramente cercato di salvarla da se stessa... E quando è morta ha pensato che fosse suo dovere salvare me... Ma a questo punto, ci scommetto, è convinto che sia stato io... ».

E guardando il commissario dritto negli occhi disse:

« E lei? ».

E visto che Maigret non rispondeva:

« Perché un delitto c'è stato... Un delitto che solo un farabutto della peggior specie poteva commettere... Uno schifoso vigliacco!... È vero che la giustizia è impotente contro di lui?... Lo ha detto lei... Ma voglio dirle una cosa, commissario, e le permetto di usarla contro di me... Quando lo avrò tra le mani, quel lurido farabutto è con me che dovrà vedersela, solo con me... E non mi servirà una pistola! No, niente armi... Mi basteranno queste mani!... ».

L'alcol aumentava la sua esaltazione. Lui stesso se ne rese conto, perché si passò una mano sulla fronte e si guardò allo specchio, rivolgendo alla propria immagine riflessa un ghigno di scherno.

« Certo che, senza il parroco, mi avrebbero sbattuto dentro prima del funerale! Non sono stato molto gentile con lui... La moglie del vecchio notaio che mi paga i debiti... Ma chi è?... Neanche me la ricordo... ».

« La donna che si veste sempre di bianco... La casa che ha il cancello con le punte dorate, sulla strada per Matignon... ».

Maurice de Saint-Fiacre si stava calmando. La sua eccitazione era stata un fuoco di paglia. Cominciò a versarsi da bere, esitò un momento, poi buttò giù d'un fiato il contenuto del bicchiere con una smorfia di disgusto.

« Li sente? ».

« Chi? ».

« Quelli del paese, di sopra, che sfilano! Dovrei essere lì, in lutto stretto, a stringere mani con gli occhi rossi e l'aria affranta! Quando sono fuori, cominciano i commenti... ».

E in tono sospettoso:

« A proposito, se come lei dice la Giustizia non si occupa del caso, perché rimane a Saint-Fiacre? ».

« Potrebbero esserci delle novità... ».

« E se scoprissi il colpevole, lei mi impedirebbe di... ».

Le sue dita contratte erano più eloquenti di qualsiasi discorso.

« Devo andare » tagliò corto Maigret. « Bisogna che tenga d'occhio l'altro fronte... ».

« L'altro fronte? ».

« Quello della locanda! Jean Métayer e il suo avvocato, che è arrivato stamattina... ».

« Si è rivolto a un avvocato? ».

« È un ragazzo previdente... Stamattina la disposizione dei personaggi era la seguente: al castello, lei e il parroco; alla locanda, il giovane e il suo consigliere... ».

« Lei crede che abbia potuto?... ».

« Le dispiace se mi servo? ».

Maigret buttò giù un bicchierino, si asciugò le labbra e si riempì un'ultima pipa prima di uscire.

« Naturalmente lei non sa usare una linotype? ».

L'altro alzò le spalle.

« Non so usare niente... È proprio questo il guaio!... ».

« Mi promette che non lascerà il paese per nessuna ragione senza prima avvertirmi? ».

Saint-Fiacre gli rivolse uno sguardo serio, profondo, e con voce altrettanto seria e profonda rispose:

« Glielo prometto! ».

Maigret uscì. Stava per scendere la scalinata quando all'improvviso si trovò accanto un uomo sbucato da chissà dove.

« Scusi, signor commissario... Mi può concedere un minuto?... Ho sentito dire... ».

« Cosa? ».

« Che lei era quasi di famiglia... Suo padre era del mestiere, no?... Perché non viene a casa mia a bere qualcosa? Ne sarei onorato... ».

E l'intendente dalla barbetta grigia si tirò dietro Maigret attraverso i cortili. Nella sala da pranzo era tutto pronto. Una bottiglia di acquavite che l'etichetta dichiarava di età veneranda, un vassoio di biscotti secchi. Dalla cucina veniva l'odore dei cavoli al lardo.

« A quanto ho sentito dire, lei ha conosciuto il castello in ben altre condizioni... Quando ci sono arrivato io il disordine era già cominciato... C'era un giovanotto, uno di Parigi che... Questa è acquavite dei tempi del povero conte... Senza zucchero, immagino... ».

Maigret fissava il tavolo con i leoni scolpiti che tenevano tra le fauci degli anelli di rame. E ancora una volta provò una sensazione di fatica, fisica e morale. Un tempo aveva il permesso di entrare in questa stanza solo con le pantofole, per non rovinare il parquet tirato a cera.

« Mi trovo in un grave imbarazzo... E ho pensato di chiedere consiglio a lei... Siamo povera gente... Il mestiere di intendente, lei lo sa bene, non ha mai arricchito nessuno...

« Quando il sabato non c'era un soldo in cassa, i braccianti li ho pagati io...

« E quando mancava il denaro per comprare il bestiame che serviva ai mezzadri l'ho anticipato io... ».

« Insomma, sta cercando di dirmi che la contessa le doveva dei soldi! ».

« La signora contessa non capiva niente di affari... Il denaro scivolava via da tutte le parti... Solo per le cose indispensabili non ce n'era mai... ».

« Ed è stato lei a... ».

« Suo padre non avrebbe forse fatto lo stesso? Ci sono dei momenti in cui è meglio che la gente del paese non sappia che le casse sono vuote... Ci ho messo buona parte dei miei risparmi... ».

« Quanto? ».

« Un altro bicchierino?... Non ho fatto il conto... Non meno di settantamila... E anche adesso, per il funerale, sono stato io a... ».

Maigret vide come l'avesse avuto davanti agli occhi il piccolo ufficio di suo padre, vicino alle scuderie, il sabato alle cinque. Tutti quelli che lavoravano al castello, dalle guardarobiere ai braccianti a giornata, aspettavano fuori. E il vecchio Maigret, seduto alla scrivania coperta di percalle verde, faceva delle piccole pile di monete d'argento. I dipendenti entravano a uno a uno, e firmavano il registro, magari solo con una croce...

« Adesso non so proprio come farò a recuperare... Per gente come noi, è... ».

« Certo, la capisco... Ha fatto rifare il camino! ».

« Quello vecchio era di legno... Il marmo è un'altra cosa... ».

« Come no! » bofonchiò Maigret.

« Si rende conto? Tutti i creditori piomberanno come avvoltoi! Bisognerà vendere! E con le ipoteche... ».

Anche la poltrona su cui l'intendente aveva fatto accomodare Maigret era nuova, e veniva probabilmente da un negozio di boulevard Barbès. Sulla credenza c'era un fonografo.

« Se non avessi dei figli non me ne importerebbe niente, ma devo pensare al futuro di Émile... Io non voglio precipitare le cose... ».

Nel corridoio comparve una ragazzina.

« Ha anche una figlia? ».

« No, no! È una del paese, che viene a fare i lavori pesanti ».

« Comunque, Gautier, avremo modo di riparlarne. Le chiedo scusa, ma ho ancora molto da sbrigare ».

« Un ultimo bicchierino? ».

« No, grazie... Ha detto più o meno settantacinquemila, vero? ».

Se ne andò, con le mani in tasca, si fece strada attraverso un branco d'oche e costeggiò lo stagno Notre-Dame, dalla superficie ormai immobile. L'orologio della chiesa suonò mezzogiorno.

Alla locanda di Marie Tatin, Jean Métayer e il suo avvocato mangiavano. Erano all'antipasto: sardine, filetti di aringa e salame. Sul tavolo accanto, i bicchieri sporchi dell'aperitivo.

I due erano allegri. Accolsero Maigret con sguardi pieni di ironia, scambiandosi strizzatine d'occhio. La cartella del principe del foro era chiusa.

« I tartufi per il pollo li ha trovati sì o no? » chiese quest'ultimo.

Povera Marie Tatin! Ne aveva trovato una scatoletta in drogheria, ma non riusciva ad aprirla. E non osava confessarlo.

« Sì che li ho trovati! ».

« E allora cosa aspetta? L'aria, qui, fa venire un tale appetito! ».

Maigret andò in cucina e con il suo coltello riuscì a incidere la latta della scatoletta, mentre la donna con gli occhi storti balbettava sottovoce:

« Mi dispiace tanto... io... ».

« Chiudi il becco, Marie! » brontolò il commissario.

Un fronte... Due fronti... Tre fronti?

Sentì il bisogno di scherzare, per sfuggire alla realtà.

« A proposito! Il parroco mi ha incaricato di portarti trecento giorni di indulgenza! Tanto per compensare i tuoi peccati!».

E Marie Tatin, che non capiva gli scherzi, guardava quell'omone che le stava di fronte con un misto di timore e di rispettoso affetto.

GLI INCONTRI DI MOULINS

Maigret aveva telefonato a Moulins per avere un taxi e fu stupito di vederlo arrivare in meno di dieci minuti. Si diresse dunque verso la porta, ma fu bloccato dall'avvocato, che stava finendo il caffè.

«Guardi che è il nostro... Ma se vuole un passaggio...».

«No, grazie...».

Jean Métayer e l'avvocato partirono per primi a bordo di una grande auto che aveva ancora lo stemma del vecchio proprietario. Un quarto d'ora dopo se ne andò anche Maigret. Lungo il percorso, senza smettere di chiacchierare con l'autista, si mise a osservare il paesaggio.

Lo scenario era monotono: una fila di pioppi ai due lati della strada, e poi terre arate a perdita d'occhio, interrotte qua e là dal rettangolo di un boschetto, dall'occhio verdastro di uno stagno.

Le abitazioni erano per lo più casupole. E c'era una ragione precisa: non esistevano piccole proprietà, ma solo grandi possedimenti, uno dei quali, quello del duca di T., comprendeva tre paesi.

Le terre dei Saint-Fiacre, prima che vasti appezzamenti venissero messi in vendita, si estendevano su duemila ettari.

Unico mezzo di trasporto, un vecchio autobus, che un contadino del luogo aveva comprato d'occasione a Parigi, e che faceva servizio una sola volta al giorno fra Moulins e Saint-Fiacre.

«Più campagna di così!» disse l'autista del taxi. «E adesso è ancora niente. Vedesse in pieno inverno...».

Quando giunsero nella strada principale di Moulins l'orologio della chiesa di Saint-Pierre segnava le due e mezzo. Maigret si fece lasciare davanti al Comptoir d'Escompte. Nel momento in cui, dopo aver pagato la corsa, si voltava per entrare nella banca, ne vide uscire una donna che teneva per mano un bambino.

Per non farsi riconoscere il commissario si immerse nella contemplazione di una vetrina. La donna era una contadina con il vestito della domenica, un cappellino in precario equilibrio sulla testa e la vita strizzata dal corsetto. Camminava piena di sussiego, trascinandosi dietro il ragazzo con la stessa attenzione che avrebbe riservato a un pacco.

Era la madre di Ernest, il chierichetto dai capelli rossi.

La strada era piena di animazione. Ernest avrebbe voluto fermarsi davanti alle vetrine, ma era risucchiato dalla scia della gonna nera. A un certo punto la donna si chinò per dirgli qualcosa e, con l'aria di chi tiene fede a una promessa, entrò insieme a lui in un negozio di giocattoli.

Maigret non osava avvicinarsi troppo. E del resto non ce ne fu bisogno: i fischi che provenivano dal negozio erano abbastanza eloquenti. Il chierichetto stava provando l'intero campionario di fischietti, e alla fine ne scelse uno da boy-scout.

Quando uscì lo portava appeso al collo, ma la madre continuava a tirarselo dietro impedendogli di provarlo per strada.

La sede del Comptoir d'Escompte era la tipica succursale di provincia, con un lungo bancone di quercia e cinque impiegati chini sulle scrivanie. Maigret si diresse verso lo sportello con la scritta « Conti correnti », e l'addetto si alzò premurosamente.

Maigret intendeva chiedere informazioni sull'esatta consistenza del patrimonio dei Saint-Fiacre, e in particolare sulle operazioni delle ultime settimane – anzi, degli ultimi giorni –, nella speranza di ricavarne indicazioni utili all'inchiesta.

Ma rimase un istante in silenzio a fissare il giovane che se ne stava in piedi dietro al bancone senza dare segni di impazienza.

« Immagino che lei sia Émile Gautier... ».

Lo aveva visto passare due volte in moto, senza mai riuscire a coglierne i lineamenti. Ma l'impressionante somiglianza con l'intendente del castello non lasciava dubbi.

E non era tanto una questione di particolari quanto di razza: i lineamenti marcati e l'ossatura robusta tradivano l'origine contadina.

Il grado di evoluzione era lo stesso, o quasi: Émile aveva una pelle più curata di quella dei contadini, certo, lo sguardo intelligente, e un piglio da uomo « che ha studiato ».

Ma non era ancora uno di città. I capelli, nonostante la brillantina, erano ribelli e stavano ritti in cima alla testa. E le guance rosee gli conferivano il tipico aspetto del bullo di paese rasato di fresco la domenica mattina.

« Sì, sono io ».

Nessun segno di emozione. Maigret non aveva il minimo dubbio che fosse un impiegato modello. Il direttore doveva avere in lui la massima fiducia e lo avrebbe ben presto ricompensato con una promozione.

Il vestito nero era confezionato su misura, ma da un sarto di paese e in un tessuto indistruttibile. Suo padre portava dei solini di celluloide. Lui, invece, dei colletti morbidi, ma la cravatta era ancora di quelle con l'elastico.

« Mi riconosce? ».

« No! Ma penso che sia della polizia... ».

« Avrei bisogno di qualche informazione sul conto dei Saint-Fiacre ».

« Non c'è alcun problema! Sono io che mi occupo di tutti i conti correnti ».

Era gentile, compito. A scuola, con ogni probabilità, gli insegnanti avevano un debole per lui.

« Mi porti il conto dei Saint-Fiacre! » disse a un'impiegata seduta dietro di lui.

E diede una scorsa a un foglio giallo di grandi dimensioni.

« Che cosa le serve esattamente? Un riepilogo, l'ammontare del saldo o la situazione generale? ».

Era preciso, non c'è che dire!

« La situazione generale com'è? Positiva? ».

« Le spiace se ci mettiamo là?... Potrebbero sentirci... ».

E si trasferirono in fondo al locale, restando però ciascuno da un lato del bancone di quercia.

« Mio padre le avrà sicuramente detto che la contessa era molto disordinata... Ho dovuto bloccare non so quante volte degli assegni scoperti... C'è da dire che la contessa non lo sapeva... Firmava assegni senza minimamente preoccuparsi della situazione del suo conto... Poi, quando le telefonavo per avvertirla, era presa dal panico... Anche stamattina hanno cercato di incassare tre assegni sbarrati e ho dovuto respingerli... Ho l'ordine di non pagare nulla prima che... ».

« Hanno perso tutto? ».

« Non proprio... Tre poderi su cinque sono venduti... Gli altri due ipotecati, come il castello del resto... La contessa aveva un appartamento a Parigi, il che le garantiva una piccola rendita... Ma quando trasferiva al figlio quaranta o cinquantamila franchi in un colpo solo, è chiaro che i conti non tornavano più... Io ho sempre fatto del mio meglio... Cercavo di ritardare per quanto possibile i pagamenti... Mio padre... ».

« Sì, lo so, ha anticipato del denaro ».

« Non so che altro dirle... Attualmente il saldo attivo è esattamente di settecentosettantacinque franchi... Ma restano da pagare le imposte fondiarie dell'anno scorso, e la settimana scorsa c'è stata la prima ingiunzione dell'ufficiale giudiziario... ».

« Jean Métayer è al corrente? ».

« Di tutto! E forse non è solo al corrente... ».

« Che intende dire? ».

« Niente! ».

« Crede che sia uno con i piedi per terra? ».

Ma Émile Gautier, per discrezione, evitò di rispondere.

« Sono queste le informazioni che le servivano? ».

« Qualcun altro di Saint-Fiacre ha un conto qui? ».

« No! ».

« E nessuno è venuto oggi per fare delle operazioni bancarie? Ad esempio per riscuotere un assegno? ».

« Nessuno ».

« E lei è sempre rimasto allo sportello? ».

« Sempre! ».

Nessun segno di emozione. Continuava a recitare la sua parte di impiegato modello che risponde in maniera esauriente alle domande di un ufficiale di polizia.

« Vuole vedere il direttore? Dubito però che possa dirle di più... ».

Si accendevano le prime luci. Sulla strada principale l'animazione ricordava quella di una grande città, e lunghe file di automobili sostavano davanti ai caffè.

Passò un corteo: due cammelli e un elefantino portavano striscioni pubblicitari di un circo che aveva montato il suo tendone nella place de la Victoire.

In un negozio di alimentari Maigret vide la madre di Ernest che, sempre tenendo per mano il ragazzo, comprava scatolame.

Un po' più in là quasi urtò Métayer e il suo avvocato, che, discutendo, camminavano con l'aria di chi non ha tempo da perdere. L'avvocato stava dicendo:

«... devono per forza bloccarlo...».

Non si accorsero del commissario e proseguirono in direzione del Comptoir d'Escompte.

Nelle cittadine come Moulins, con tutta l'attività concentrata in una strada lunga non più di cinquecento metri, è praticamente impossibile non incontrarsi una decina di volte al giorno.

Maigret andò alla tipografia del «Journal de Moulins». Gli uffici davano sulla strada: vetrine moderne, tappezzate di fotografie e ritagli di giornale, con le ultime notizie scritte a matita blu su lunghe strisce di carta.

«Manciuria. Un comunicato dell'agenzia Havas segnala che...».

Ma per raggiungere la tipografia occorreva imboccare un vicolo buio, guidati solo dal frastuono delle rotative. In uno squallido laboratorio degli uomini in camice lavoravano davanti ad alti tavoli di marmo, mentre in fondo al locale, al di là di una vetrata, le due linotype ticchettavano come mitragliatrici.

«Per favore, chi è il capo, qui?...».

Il rombo delle macchine costringeva letteralmente a urlare, e l'odore d'inchiostro prendeva alla gola. Un ometto in camice blu che stava allineando delle righe di piombo in una forma accostò la mano all'orecchio a mo' di cornetto.

« Lei è il capo? ».

« No, l'impaginatore! ».

Maigret estrasse dal portafoglio il testo che aveva ucciso la contessa di Saint-Fiacre, e l'ometto, sistemandosi sul naso degli occhialini tondi con la montatura d'acciaio, lo guardò con aria interrogativa.

« Lo avete stampato voi? ».

« Come dice?... ».

Ogni tanto qualcuno passava di corsa con in mano intere pile di giornali.

« Le ho chiesto se l'avete stampato voi! ».

« Venga con me! ».

Nel cortile la situazione migliorò. Faceva freddo, ma almeno si riusciva a parlare con un tono di voce quasi normale.

« Che cosa voleva sapere? ».

« Riconosce questo carattere? ».

« È un Cheltenham, corpo 9 ».

« È vostro? ».

« Quasi tutte le linotype hanno il Cheltenham ».

« Ci sono altre linotype a Moulins? ».

« A Moulins no... Ma ce ne sono a Nevers, a Bourges, a Châteauroux, a Autun, a... ».

« Non nota niente di strano in questo testo? ».

« È stato stampato col torchio... Hanno voluto far credere che fosse un ritaglio di giornale, vero?... Una volta hanno chiesto anche a me una cosa del genere, per uno scherzo ».

« Ah! ».

« Sarà stato almeno quindici anni fa... All'epoca in cui il giornale veniva ancora composto a mano... ».

« E il tipo di carta le dice qualcosa? ».

« Quasi tutti i giornali di provincia si servono dello stesso fornitore. È carta tedesca... La prego di scusarmi... Devo chiudere la forma... È per l'edizione della Nièvre ».

« Conosce Jean Métayer? ».

L'ometto scrollò le spalle.

« Che cosa ne pensa? ».

« A sentir lui, conosce il mestiere meglio di noi. Non ha tutte le rotelle a posto... Se la contessa non fosse amica del principale, non lo lasceremmo certo trafficare qui in tipografia... ».

« Sa usare la linotype? ».

« Mah!... Così dice!... ».

« Insomma, secondo lei sarebbe in grado di comporre un trafiletto come questo? ».

« Con due ore buone a disposizione e rifacendo dieci volte ogni riga, può darsi... ».

« Negli ultimi tempi l'ha mai visto davanti alla linotype? ».

« E io che ne so? Va, viene! Rompe le scatole a tutti con i suoi procedimenti di stereotipia... Deve proprio scusarmi... Il treno non aspetta... E non ho ancora chiuso la forma... ».

Non era il caso di insistere. Maigret fu sul punto di tornare dentro, ma l'agitazione che regnava nella tipografia lo fece desistere. Quella gente aveva i minuti contati. Tutti correvano, e i fattorini, precipitandosi verso l'uscita, lo urtavano in continuazione.

Riuscì comunque a prendere in disparte un apprendista che si stava arrotolando una sigaretta.

« Che fine fanno le righe di piombo usate? ».

« Vengono fuse ».

« Ogni quanti giorni? ».

« Ogni due giorni... Ecco, guardi! La fonditrice è là nell'angolo... Faccia attenzione! È calda... ».

Quando uscì, Maigret era stanco, forse un po' scoraggiato. Ormai faceva buio, e il selciato luccicava più del solito per via del freddo. Davanti a un negozio di abbigliamento, un commesso con un raffreddore di testa batteva i piedi e arringava i passanti:

« Un cappotto?... Bei tessuti inglesi a partire da duecento franchi... Ingresso libero! Senza impegno!... ».

Più in là, davanti al Café de Paris, da dove giungeva lo schiocco delle palle da biliardo, Maigret vide l'automobile gialla del conte di Saint-Fiacre.

Entrò, si guardò intorno e, non vedendo il giovane, si sedette a un tavolo. Era il locale più elegante di Moulins. Su una pedana tre musicisti accordavano gli strumenti, e con tre cartoncini su ciascuno dei quali c'era una cifra componevano il numero d'ordine del pezzo.

Nella cabina telefonica qualcuno stava parlando.

« Una birra! » ordinò Maigret.

« Chiara o scura? ».

Ma il commissario era troppo intento a cercare di cogliere la conversazione all'interno della cabina. Ogni sforzo fu vano. Saint-Fiacre uscì e la cassiera gli chiese:

« Quante chiamate? ».

« Tre ».

« Tutte a Parigi, vero?... E sempre all'824?... ».

Accortosi di Maigret, il conte si diresse con disinvoltura verso il suo tavolo e gli si sedette accanto.

« Non mi aveva detto che veniva a Moulins! Le avrei dato un passaggio in macchina... Certo, è scoperta, e col freddo che fa... ».

« Ha telefonato a Marie Vassiliev? ».

« No! E non ho motivi per nasconderle la verità... Cameriere! Una birra anche per me... Anzi, no! Qualcosa di caldo... un grog... Ho telefonato a un certo Wolf... Non lo conosce?... Stia pur certo che al Quai des Orfèvres c'è qualcuno che lo conosce... Diciamo che è un usuraio... Ho fatto ricorso a lui qualche volta... Adesso cercavo di... ».

Maigret gli rivolse uno sguardo stupito.

« Gli ha chiesto del denaro? ».

« Sì, a qualsiasi condizione! E invece ha rifiutato! Non mi guardi in quel modo! Questo pomeriggio sono passato alla banca... ».

« A che ora? ».

« Verso le tre... Proprio mentre ne uscivano il giovanotto che lei conosce e il suo avvocato... ».

« Ha cercato di prelevare del denaro? ».

« Ci ho provato! Guardi, l'ultima cosa che mi interessa è la sua pietà! Quando ci sono in ballo i soldi, un sacco di gente si fa prendere dall'imbarazzo. Non è il mio caso... Insomma, spediti a Parigi i quarantamila franchi e pagato il treno di Marie Vassiliev, mi sono rimasti in tasca più o meno trecento franchi. Arrivando qui non potevo certo immaginare... Ho solo il vestito che porto addosso... A Parigi ho ancora alcune migliaia di franchi di affitto da pagare, e la padrona di casa non mi lascerà certo portare via le mie cose... ».

Parlava fissando le palle del biliardo che rotolavano sul panno verde. Quelli che giocavano erano giovani del posto, di modesta estrazione, che ogni tanto rivolgevano alla tenuta elegante del conte occhiate piene di invidia.

« Tutto qua! Il giorno del funerale volevo quanto meno portare il lutto. Ma in tutta la regione non c'è un sarto che mi faccia credito per due giorni... In banca mi hanno risposto che il conto di mia madre è bloccato e che d'altra parte restano poco più di settecento franchi... E sa chi si è preso la briga di darmi questa piacevole notizia? ».

« Il figlio del suo intendente! ».

« Proprio così! ».

Buttò giù un sorso di grog bollente e rimase in silenzio, continuando a osservare il biliardo. L'orchestra attaccò un valzer viennese che, stranamente, sembrava scandito dal rumore delle palle del biliardo.

Faceva caldo. Benché le lampade fossero accese, il caffè era immerso in una luce grigiastra. Era il tipico vecchio caffè di provincia: unica concessione alla modernità, un cartello con la scritta « Cocktail: 6 franchi ».

Maigret fumava lentamente. Anche lui fissava il biliardo, illuminato dalla luce violenta degli abat-jour di cartone verde. Di tanto in tanto la porta si apriva, e dopo qualche secondo una folata di aria gelida invadeva il locale.

«Mettiamoci là in fondo...».

Era la voce dell'avvocato di Bourges. Passò davanti al tavolo di Maigret seguito da Jean Métayer, che portava dei guanti di lana bianca.

Ma entrambi guardavano dritto davanti a sé, e solo una volta seduti si accorsero del commissario e del conte.

I due tavoli erano quasi l'uno di fronte all'altro. Métayer arrossì leggermente e ordinò con voce incerta:

«Una cioccolata!».

E Saint-Fiacre sibilò con aria di scherno:

«Povera cocca!».

Una donna, che si era seduta a metà strada fra i due tavoli, rivolse al cameriere un sorriso che rivelava una lunga consuetudine e mormorò:

«Il solito!».

Le portarono uno cherry. Lei si incipriò, ritoccò il rossetto e, sbattendo le ciglia, si guardò intorno ancora incerta su chi puntare lo sguardo.

Chi sarebbe stata la vittima? Maigret, solido e rassicurante? O l'avvocato, senza dubbio più elegante, che già la soppesava con un sorrisino?

«Vorrà dire che al funerale sarò vestito di grigio!» mormorò il conte di Saint-Fiacre. «Non posso certo farmi prestare un abito nero dal maggiordomo! Né indossare il tight del mio povero padre!».

Tranne l'avvocato, che aveva occhi solo per la donna, tutti osservavano il biliardo più vicino.

Ce n'erano tre, due dei quali occupati. Non appena i musicisti concludevano il loro pezzo, scrosciavano gli applausi. E di colpo si riudiva il tintinnio dei bicchieri e dei piattini.

«Tre porto, tre!».

Ogni tanto la porta si apriva. L'aria fredda entrava e veniva a poco a poco dissolta dal calore del locale.

Le lampade del terzo biliardo si accesero, azionate dalla cassiera che aveva gli interruttori alle spalle.

«Trenta punti!» disse una voce.

E rivolgendosi a un cameriere:

«Un bicchiere di acqua minerale!... Con dello sciroppo di lampone!...».

Era Émile Gautier, che strofinava meticolosamente con il gesso blu la punta della sua stecca e riportava a zero il segnapunti. Il suo compagno, più anziano di una decina d'anni e con i baffi scuri a punta, era il vicedirettore della banca.

Solo al terzo colpo – mancato – Gautier si accorse di Maigret. Lo salutò con un certo imbarazzo, poi il gioco lo assorbì a tal punto che non si accorse più di chi gli stava intorno.

«Naturalmente, se non ha paura del freddo, sulla mia macchina un posto c'è...» disse Maurice de Saint-Fiacre. «Posso offrirle qualcosa? Non sarà certo un aperitivo a mandarmi in rovina...».

«Cameriere!» disse Jean Métayer a voce alta. «Mi chiami il 17 a Bourges!».

Il numero di suo padre! Poco dopo si chiuse nella cabina telefonica.

Maigret continuava a fumare. Aveva ordinato un'altra birra. E la donna, forse perché era il più robusto, alla fine aveva messo gli occhi su di lui. Ogni volta che il commissario si girava dalla sua parte gli sorrideva come se fossero stati vecchi amici.

Non poteva certo immaginare che lui stava pensando alla «vecchia», come diceva anche suo figlio, che ora era sdraiata sul letto al primo piano, laggiù al castello, la vecchia davanti alla quale la gente del villaggio sfilava dandosi di gomito.

Ma non era così che la vedeva. La ricordava ai tempi in cui al Café de Paris non servivano ancora cocktail e davanti all'ingresso non c'erano automobili.

La ricordava nel parco del castello, alta e flessuosa, nobile ed elegante come l'eroina di un romanzo popolare, accanto alla nurse che spingeva la carrozzina...

Maigret era solo un bambino, e i suoi capelli, come quelli di Émile Gautier e come quelli del rossino, se ne stavano ostinatamente ritti in cima alla testa.

Oh, come aveva invidiato il conte la mattina in cui la coppia era partita per Aix-les-Bains a bordo di un'auto (una delle prime in quella regione) traboccante di pellicce e impregnata di profumo... La veletta le copriva il viso. Il conte aveva dei grandi occhiali. La scena faceva pensare a un rapimento eroico. E la balia agitava la mano del bimbo in segno di saluto...

Adesso aspergevano la vecchia di acqua benedetta, e l'odore delle candele aveva invaso la stanza.

Tutto preso dalla partita, Émile Gautier girava intorno al biliardo, si esibiva in colpi estrosi, contava sottovoce con aria fiera:

«Sette...».

Prese di nuovo la mira. Vinse. Il vicedirettore dai baffi a punta disse in tono acido:

«Fantastico!».

Al di sopra del panno verde due uomini si osservavano: Jean Métayer, che il gioviale avvocato soffocava di chiacchiere, e il conte di Saint-Fiacre, che fermò il cameriere con un gesto stanco:

«Mi porti un altro grog!».

Quanto a Maigret, pensava a un fischietto da boy-scout. Un bel fischietto di bronzo come non ne aveva mai avuti.

8

L'INVITO A CENA

« Un'altra telefonata! » disse in un soffio Maigret vedendo che Métayer si alzava di nuovo.

Lo seguì con lo sguardo e si accorse che non entrava nella cabina telefonica né nella toilette. E l'avvocato grassoccio era seduto sul bordo della sedia, come se esitasse ad alzarsi. Guardava il conte di Saint-Fiacre. Sembrava persino che fosse lì lì per abbozzare un sorriso.

Maigret era forse di troppo? La scena, ad ogni modo, ricordava al commissario certe situazioni di quando era giovane: tre o quattro amici in un locale simile a quello; e all'altro capo della sala due donne. Le discussioni, le esitazioni, il biglietto affidato al cameriere...

L'avvocato era in preda a un nervosismo di quel genere. E la donna seduta a due tavoli di distanza da Maigret finì per convincersi di essere la causa di quell'agitazione. Sorrise, aprì la borsetta e si incipriò il naso.

« Torno subito! » disse il commissario a Saint-Fiacre.

Attraversò la sala sulle tracce di Métayer e vide

una porta di cui non si era accorto: dava su un ampio corridoio adorno di un tappeto rosso. In fondo, un banco con un registro, il centralino telefonico e l'addetta alla reception. Métayer stava parlando con lei e se ne andò nel momento in cui Maigret faceva il suo ingresso.

« La ringrazio, signorina... Ha detto la prima strada a sinistra? ».

Non cercava di sfuggire al commissario. Non sembrava neppure seccato della sua presenza, anzi! E nel suo sguardo brillava una luce di trionfo.

« Non sapevo che fosse un albergo... » disse Maigret alla ragazza.

« Ha preso una stanza in un altro?... Ha fatto male... Questo è il miglior albergo di Moulins... ».

« Per caso avete avuto come cliente il conte di Saint-Fiacre? ».

Lei fu sul punto di scoppiare a ridere. Poi ridivenne seria.

« Ma che cosa ha fatto? » chiese un po' turbata. « Lei è la seconda persona in cinque minuti che... ».

« Che indicazioni ha dato al signore di prima? ».

« Voleva sapere se il conte di Saint-Fiacre era uscito nella notte fra sabato e domenica... Non sapevo cosa rispondergli, perché il portiere di notte non è ancora arrivato... Allora mi ha chiesto se avevamo un garage ed è andato là... ».

Perbacco! A Maigret non restava che seguire Métayer!

« E il garage è nella prima strada a sinistra! » disse un po' irritato.

« Esatto! È aperto tutta la notte ».

Jean Métayer era stato decisamente rapido: proprio mentre imboccava la via in questione, Maigret vide il giovane che si allontanava fischiettando. Il guardiano del garage stava mangiando un boccone nella guardiola.

« Voglio sapere la stessa cosa del signore che è appena uscito... L'auto gialla... Qualcuno è venuto a prenderla nella notte fra sabato e domenica?...».

Sul tavolo c'era già una banconota da dieci franchi. Maigret ne mise accanto una seconda.

«Sì, verso mezzanotte!».

«E quando l'ha riportata?».

«Saranno state le tre del mattino...».

«Era sporca?».

«Così così... Sa, non piove da un bel po'...».

«Erano in due, vero? Un uomo e una donna...».

«No! L'uomo era solo».

«Piccolo e magro?».

«Ma no! Era grande e grosso».

Il conte di Saint-Fiacre, naturalmente!

Quando Maigret rientrò nel locale l'orchestra aveva ripreso a imperversare, e la prima cosa che notò fu che al tavolo di Métayer non c'era più nessuno.

Un istante dopo, in compenso, vide che l'avvocato si era seduto accanto al conte di Saint-Fiacre.

All'arrivo del commissario l'avvocato si alzò dal divanetto:

«Mi scusi... Ma no, la prego, si rimetta pure al suo posto...».

In realtà non aveva alcuna intenzione di andarsene. Si sedette di fronte, sulla sedia. Aveva lo sguardo acceso e le guance arrossate, come quando si ha una gran fretta di portare a termine un compito delicato. Sembrava cercare con gli occhi Jean Métayer, che non era ancora ricomparso.

«Cerchi di capire, signor commissario... Non mi sarei mai permesso di presentarmi al castello... È naturale... Ma poiché il caso ha voluto che ci incontrassimo, mi consenta l'espressione, in territorio neutrale...».

E si sforzava di sorridere. Alla fine di ogni frase

faceva dei cenni col capo ai suoi due interlocutori, quasi a volerli ringraziare della loro approvazione.

« Come ho già detto al mio cliente, è perfettamente inutile, in una situazione penosa come questa, rendere le cose ancora più difficili con una suscettibilità esasperata... Jean Métayer l'ha capito benissimo... E quando lei è arrivato, signor commissario, stavo appunto dicendo al conte di Saint-Fiacre che non chiediamo di meglio che trovare un'intesa... ».

Maigret borbottò:

« Come no! ».

E intanto pensava:

« Tu, caro mio, puoi ritenerti fortunato se nel giro di cinque minuti non ti becchi in piena faccia la mano del signore a cui stai parlando con voce così soave... ».

I giocatori continuavano a girare intorno al biliardo. Quanto alla donna, si alzò, lasciò la borsetta sul tavolo e si diresse verso il fondo della sala.

« Eccone un'altra che ha preso una bella cantonata! Ha appena avuto un'idea luminosa: che Métayer sia uscito per poterle parlare fuori, senza testimoni... E lei gli va dietro... ».

Maigret aveva colto nel segno. La donna andava e veniva dondolandosi sui fianchi, alla ricerca del giovane!

L'avvocato non smetteva di parlare.

« Ci sono in gioco interessi molto delicati, e da parte nostra noi siamo senz'altro disponibili... ».

« A cosa? » tagliò corto Saint-Fiacre.

« Ma appunto... a... ».

Dimenticando che quello che aveva davanti a sé sul tavolo non era il suo bicchiere ma quello di Maigret, bevve per darsi un contegno.

« Mi rendo conto che forse il luogo non è il più indicato... E neppure il momento... Ma deve rendersi conto che noi conosciamo meglio di chiunque altro la situazione economica di... ».

« Di mia madre! E allora? ».

« Il mio cliente, dando prova di una delicatezza che gli fa onore, ha preferito trovare una sistemazione alla locanda... ».

Povero diavolo! Ora che Maurice de Saint-Fiacre lo guardava fisso negli occhi, le parole gli uscivano a fatica, come se qualcuno gliele stesse strappando di bocca.

« Lei mi capisce, vero, signor commissario?... Noi sappiamo che c'è un testamento depositato presso il notaio... Si tranquillizzi! Nessuno ha violato i diritti del signor conte... D'altra parte Jean Métayer è nominato nel testamento... La situazione finanziaria è ingarbugliata... Il mio cliente è il solo a conoscerla... ».

Maigret ammirava Saint-Fiacre, che riusciva a conservare una calma quasi angelica. Anzi, un lieve sorriso gli increspava le labbra!

« Sì, era davvero un segretario modello! » disse senza ironia.

« Tenga presente che si tratta di un giovane di ottima famiglia e che ha ricevuto una solida istruzione. Conosco personalmente i suoi genitori... Suo padre... ».

« Torniamo alla questione del patrimonio, le spiace? ».

Troppo bello per essere vero. L'avvocato quasi non credeva alle proprie orecchie.

« Posso offrirvi qualcosa?... Cameriere!... Cosa prendete?... Per me un vermut... ».

Due tavoli più in là la donna, che non aveva trovato Métayer, batteva in ritirata con aria afflitta, rassegnata a puntare sui giocatori di biliardo.

« Stavo dicendo che il mio cliente è pronto ad aiutarla... Di certe persone non si fida troppo... Come le confermerà lui stesso, è al corrente di operazioni piuttosto losche, compiute da individui che non si può dire siano torturati dagli scrupoli... Insomma... ».

Ora veniva la parte più difficile! Nonostante tutto, l'avvocato fu costretto a inghiottire un po' di saliva prima di poter proseguire:

«Lei ha trovato vuote le casse del castello... Ma è assolutamente necessario che sua madre, la signora contessa...».

«Sua madre, la signora contessa!» ripeté Maigret, ammirato.

«Sua madre, la signora contessa...» riprese l'avvocato senza batter ciglio. «Cosa stavo dicendo?... Ah, sì! È assolutamente necessario che le esequie siano degne dei Saint-Fiacre... E in attesa che la questione finanziaria sia sistemata nel pieno rispetto degli interessi di ciascuno, il mio cliente si adopererà affinché...».

«In altri termini anticiperà il denaro necessario al funerale... Dico bene?».

Maigret non osava guardare il conte. Fissava Émile Gautier, che aveva messo a segno una sequenza di carambole da campione, e si aspettava con i nervi tesi che da un momento all'altro accanto a lui scoppiasse un alterco.

Neanche per sogno! Saint-Fiacre si era alzato, e parlava a qualcuno che si era avvicinato al loro tavolo.

«Ma la prego, si sieda con noi!».

Era Métayer, al quale l'avvocato, vedendolo entrare, aveva probabilmente fatto segno che tutto andava per il meglio.

«Prende anche lei un vermut?... Cameriere!...».

Uno scroscio di applausi salutò la fine del pezzo musicale. E quando si spense, la situazione si fece ancora più imbarazzante: le voci sembravano rimbombare, e il silenzio era rotto solo dallo schiocco delle palle d'avorio sui tavoli da biliardo.

«Ho detto al signor conte, che si è mostrato molto comprensivo...».

«Per chi è il vermut?».

«Siete venuti da Saint-Fiacre in taxi?... Allora se

volete posso riportarvi indietro con la mia automobile... Starete un po' stretti... Devo già riaccompagnare il commissario... Cameriere! Quant'è?... Ma no! Non le permetto assolutamente... Tocca a me... ».

Ma l'avvocato si era già alzato tendendo al cameriere una banconota da cento franchi.

« Tutto insieme? » chiese questi.

« Ma certo! Ma certo! ».

E il conte, con il suo più squisito sorriso:

« Lei è davvero troppo gentile ».

Émile Gautier rimase a osservarli mentre si allontanavano e si cedevano cerimoniosamente il passo davanti alla porta. Tanto che dimenticò di continuare le sue carambole.

L'avvocato prese posto davanti, accanto a Saint-Fiacre che guidava. Dietro, dove sedeva Maigret, c'era a malapena un po' di spazio per Jean Métayer.

Faceva freddo. La luce dei fari era troppo debole. L'automobile era a scappamento libero, e il frastuono impediva loro di parlare.

Maurice de Saint-Fiacre correva sempre a quel modo? O si stava prendendo una piccola vendetta? Sta di fatto che percorse i venticinque chilometri che separavano Moulins dal castello in meno di un quarto d'ora: frenava in curva, si lanciava a capofitto nell'oscurità, e a un certo punto riuscì a evitare per un soffio un carro che occupava il centro della carreggiata solo gettandosi fuori strada.

La tramontana tagliava la faccia, e Maigret si stringeva con entrambe le mani il collo del cappotto. La vettura di Saint-Fiacre attraversò il centro del paese a tutta velocità, e quelli che viaggiavano con lui ebbero appena il tempo di intravedere le luci della locanda e il campanile aguzzo della chiesa.

Una brusca frenata li gettò l'uno addosso all'altro. Erano ai piedi della scalinata. Giù, in cucina, i domestici mangiavano. Qualcuno rideva fragorosamente.

« Signori, posso avere il piacere di invitarvi a cena?... ».

Métayer e l'avvocato si guardarono perplessi, ma il conte, con una pacca amichevole sulla spalla, li sospinse verso l'ingresso.

« Mi farebbe davvero piacere... E poi tocca a me, non è vero? ».

E nell'atrio:

« Certo, l'atmosfera non sarà molto allegra... ».

Maigret avrebbe voluto dirgli qualche parola in disparte, ma l'altro aprì la porta del fumoir senza dargliene il tempo.

« Posso lasciarvi un istante? Intanto potreste prendere l'aperitivo... Devo dare alcune disposizioni... Métayer, lei sa dove sono le bottiglie... Speriamo sia rimasto qualcosa... ».

Premette un pulsante elettrico. Ci volle un bel po' prima che il maggiordomo arrivasse, con la bocca piena e il tovagliolo in mano.

Saint-Fiacre glielo strappò con un gesto brusco.

« Dica all'intendente di raggiungerci... Poi mi chiami al telefono la canonica e la casa del dottore... ».

E rivolgendosi agli altri:

« Volete scusarmi? ».

Il telefono era nell'atrio, male illuminato come il resto del castello. In effetti, dal momento che a Saint-Fiacre non c'era elettricità, al castello dovevano ricorrere a un generatore, che però era troppo debole. Le lampadine, invece di diffondere una luce bianca, lasciavano intravedere dei filamenti rossastri, come capita in certi tram quando si fermano.

Ovunque c'erano vaste zone d'ombra, dove si distinguevano a malapena gli oggetti.

« Pronto!... Sì, ci tengo moltissimo... Grazie, dottore... ».

L'avvocato e Métayer erano preoccupati. Ma non osavano ancora confessarselo. Fu Métayer a rompere il silenzio e a chiedere al commissario:

«Cosa posso offrirle?... Credo che il porto sia finito... Ma ci sono delle bottiglie di whisky...».

Tutte le stanze del pianterreno si aprivano l'una sull'altra, e le porte di comunicazione erano spalancate. Prima la sala da pranzo. Poi il salotto. Poi il fumoir dove si trovavano i tre. E infine la biblioteca, dove Métayer andò a prendere le bottiglie.

«Pronto... Sì... Allora posso contarci?... A dopo...».

Il conte riattaccò, percorse il corridoio che fiancheggiava tutte le stanze e salì al piano superiore. I suoi passi si arrestarono nella stanza della morta.

Anche nell'atrio risuonarono dei passi, ma più pesanti. Qualcuno bussò alla porta, che subito si aprì. Era l'intendente.

«Mi ha fatto chiamare?».

Accortosi che il conte non era nella stanza, Gautier guardò sbalordito le tre persone lì riunite e batté in ritirata, chiedendo lumi al maggiordomo che arrivava in quel momento.

«Del seltz?» domandò zelante Métayer.

Allora l'avvocato, in un impeto di buona volontà, si schiarì la voce e cominciò:

«Strane professioni le nostre, vero, commissario?... È da molto che è nella polizia?... Io faccio l'avvocato da quasi quindici anni... Il che significa che mi sono trovato coinvolto in fatti tra i più sconcertanti che si possano immaginare... Alla salute!... Alla sua, Métayer... Mi rallegro per lei della piega che hanno preso gli...».

Nel corridoio risuonò la voce del conte:

«E allora veda di trovarne! Telefoni a suo figlio, che sta giocando a biliardo a Moulins, al Café de Paris... Porterà lui quello che ci occorre...».

La porta si aprì ed entrò il conte.

«Ha trovato il whisky?... Sigari ce ne sono?».

E guardava Métayer con aria interrogativa.

«Ho delle sigarette... Fumo solo...».

Il giovane non concluse la frase, e pieno di imbarazzo girò la testa dall'altra parte.

«Vado a prenderle».

«Spero che vorrete scusare la cena un po' improvvisata... Siamo lontani dal paese e...».

«Ma si figuri!» intervenne l'avvocato, cui l'alcol cominciava a fare effetto. «Sono sicuro che sarà ottima... Quello è un suo parente?...».

E indicò il ritratto, che campeggiava su una parete del grande salotto, di un uomo con una austera redingote e il collo stretto da un solino inamidato.

«È mio padre».

«Lei gli somiglia molto».

Il maggiordomo fece entrare il dottor Bouchardon, che si guardò intorno con diffidenza, come se si fosse aspettato di trovarsi di fronte a un dramma. Ma Saint-Fiacre lo accolse con brio.

«Venga, dottore... Immagino che lei conosca già Jean Métayer... Questo è il suo avvocato... Una simpatica persona, come vedrà lei stesso... Quanto al commissario...».

I due uomini si strinsero la mano, e poco dopo il medico bisbigliava all'orecchio di Maigret:

«Che cosa ha architettato, commissario?».

«L'idea non è stata mia... Ma del conte!».

L'avvocato, per darsi un contegno, andava in continuazione al tavolino su cui era posato il suo bicchiere, senza rendersi conto che stava bevendo più del dovuto.

«Che meraviglia questo vecchio castello!... Proprio l'ambiente giusto per un film!... Ne parlavo appunto qualche giorno fa con il procuratore di Bourges, che detesta il cinema... Certo, finché i film verranno girati in certi scenari...».

Aveva lo sguardo acceso e cercava continuamente di attaccare bottone con qualcuno.

Quanto al conte, si era avvicinato a Métayer e mostrava nei suoi confronti una allarmante cortesia.

« La cosa più triste, qui, sono le lunghe serate d'inverno, non è vero?... Ricordo che *ai miei tempi* anche mio padre aveva l'abitudine di invitare il dottore e il parroco... Non gli stessi, ovviamente... Ma pure il dottore di allora era un miscredente, e le discussioni si risolvevano sempre in dibattiti filosofici... Ma ecco appunto il... ».

Era il parroco. Gli occhi cerchiati, l'atteggiamento compassato, non sapeva che cosa dire e se ne stava esitante sulla soglia.

« Scusate il ritardo, ma... ».

Attraverso le porte aperte si vedevano i domestici che apparecchiavano la tavola nella sala da pranzo.

« Su, offra qualcosa da bere al signor parroco... ».

Il conte si era rivolto a Métayer. Maigret notò che lui non beveva. L'avvocato, in compenso, sarebbe stato ubriaco di lì a poco. In quel momento stava spiegando al dottore, che guardava Maigret sbigottito:

« Un po' di diplomazia, tutto qua! O, se vuole, conoscenza dell'animo umano... Hanno più o meno la stessa età, sono entrambi di buona famiglia... Mi spieghi allora perché avrebbero dovuto farsi la guerra... Come se i loro interessi non fossero legati!... La cosa più curiosa... ».

Rise. Buttò giù un sorso di liquore.

« ... è che è successo tutto per caso, in un caffè... Col che si dimostra che i nostri cari, vecchi caffè di provincia, dove ci si sente come a casa propria, hanno i loro lati buoni... ».

Da fuori giunse il rombo di un motore, e poco dopo il conte raggiunse l'intendente nella sala da pranzo. Si udì la fine di una frase:

« Sì, tutti e due!... Come sarebbe "se ci tiene"?... È un ordine!... ».

Il telefono squillò. Il conte era appena tornato

dai suoi invitati quando il maggiordomo entrò nel fumoir.

« Cosa c'è? ».

« L'impresario delle pompe funebri... Chiede a che ora deve portare la bara... ».

« Quando vuole ».

« Va bene, signor conte ».

E Saint-Fiacre, in tono quasi gioioso:

« Vogliamo metterci a tavola?... Ho fatto portare su dalla cantina le ultime bottiglie d'annata... Prego, signor parroco... Certo, si sente la mancanza di qualche signora, ma... ».

Maigret cercò di trattenerlo un istante per la manica. Ma l'altro, dopo avergli lanciato uno sguardo spazientito, si liberò bruscamente della stretta ed entrò nella sala da pranzo.

« Ho chiesto a Gautier, il nostro intendente, e a suo figlio, un ragazzo che farà strada, di essere dei nostri... ».

Maigret guardò i capelli dell'impiegato di banca e, nonostante la tensione, non poté trattenere un sorriso. I capelli erano umidi. Prima di presentarsi al castello, il giovane si era rifatto la scriminatura, si era lavato faccia e mani e aveva cambiato la cravatta.

« Signori, a tavola! ».

E il commissario ebbe la certezza che Saint-Fiacre avesse soffocato un singhiozzo. Ma nessuno se ne accorse, perché l'attenzione generale era rivolta al dottore, che aveva afferrato una bottiglia coperta di polvere e mormorava:

« Ha ancora dell'Hospice de Beaune del 1896?... Credevo che le ultime bottiglie fossero state comprate dal ristorante Larue e che... ».

Il rumore delle sedie che venivano spostate coprì la fine della frase. Il parroco, con le mani giunte sulla tovaglia e la testa bassa, recitava a fior di labbra la preghiera di ringraziamento.

Alzando gli occhi, Maigret vide che Saint-Fiacre lo fissava insistentemente.

9

ALL'INSEGNA DI WALTER SCOTT

La sala da pranzo – grazie alle boiserie scolpite che coprivano le pareti sino al soffitto – era la stanza del castello che più di ogni altra aveva conservato l'antico aspetto. Oltretutto era più alta che ampia, il che la rendeva non soltanto solenne ma lugubre, e dava ai commensali l'impressione di mangiare in fondo a un pozzo.

Su ogni pannello vi erano delle applique a forma di candela, con tanto di finte gocce di cera, e al centro della tavola un vero candeliere a sette bracci, con sette vere candele.

Il conte di Saint-Fiacre e Maigret erano uno di fronte all'altro, ma per vedersi dovevano allungare il collo al di sopra delle fiammelle.

Alla destra del conte sedeva il sacerdote, alla sua sinistra il dottor Bouchardon. Il caso aveva voluto che Jean Métayer e il suo avvocato si trovassero alle due opposte estremità della tavola. Mentre il commissario aveva da un lato l'intendente e dall'altro Émile Gautier.

Ogni tanto il maggiordomo entrava nel cerchio di luce per servire i commensali, ma non appena indietreggiava di un paio di metri veniva nuovamente inghiottito dall'oscurità, e di lui non si vedevano che le mani guantate di bianco.

«Non sembra anche a voi di trovarvi in un romanzo di Walter Scott?».

Il conte aveva parlato con tono noncurante, eppure Maigret aguzzò le orecchie, perché aveva colto nelle sue parole un che di voluto, quasi l'annuncio che qualcosa stava per cominciare.

Erano solo all'antipasto. Sul tavolo c'erano, alla rinfusa, una ventina di bottiglie di vino bianco e rosso, bordeaux e borgogna, e ognuno si serviva a suo piacimento.

«C'è un solo elemento che non torna...» proseguì Maurice de Saint-Fiacre. «In un romanzo di Walter Scott la povera vecchia là di sopra improvvisamente lancerebbe un urlo...».

Di punto in bianco tutti smisero di masticare ed ebbero l'impressione che fosse entrata una folata d'aria gelida.

«A proposito, Gautier, l'hanno lasciata sola?».

L'intendente inghiottì in fretta e balbettò:

«Ma veramente... Sì... Non c'è nessuno nella camera della signora contessa...».

«Non dev'essere molto allegro!».

In quel momento Maigret sentì un piede che sfiorava con insistenza il suo, ma non riuscì a capire di chi fosse. Il tavolo era rotondo, e tutti potevano raggiungerne il centro. E i dubbi di Maigret erano destinati a intensificarsi, perché nel corso della serata questi piccoli calci si sarebbero fatti sempre più frequenti.

«Sono venuti in molti a vederla, oggi?».

Era imbarazzante sentirlo parlare di sua madre come se fosse ancora viva, e il commissario notò che Jean Métayer ne era rimasto così colpito che aveva smesso di mangiare e guardava dritto davanti a sé con occhi sempre più cerchiati.

« Quasi tutti i contadini della regione » rispose l'intendente con voce grave.

Non appena il maggiordomo vedeva qualcuno tendere la mano verso la bottiglia, si avvicinava senza far rumore. Allora il suo braccio nero che terminava in un guanto bianco spuntava all'improvviso dall'oscurità, e il liquido scendeva gorgogliando nel bicchiere. Tutto avveniva in un silenzio tale che l'avvocato, ormai decisamente brillo, ripeté l'esperimento tre o quattro volte, con crescente meraviglia.

Estasiato, seguiva quel braccio che non gli sfiorava neppure la spalla. E alla fine non poté più trattenersi.

« Incredibile! Maggiordomo, lei è un portento, e se potessi permettermi un castello come questo non esiterei ad assumerla... ».

« Mah, il castello sarà presto in vendita, e anche a un buon prezzo... ».

Questa volta però, sentendo Saint-Fiacre parlare con quel tono indifferente ma in fondo così bizzarro, Maigret lo guardò sconcertato. Nonostante tutto, c'era nelle sue battute un che di stridente. Forse aveva i nervi a fior di pelle. O forse era un suo modo, piuttosto sinistro, di scherzare.

« Pollo in salsa mezzolutto... » annunciò vedendo arrivare in tavola del pollo al tartufo.

E subito dopo, nello stesso tono leggero:

« L'assassino mangerà pollo in salsa mezzolutto, come tutti gli altri! ».

Il braccio del maggiordomo si insinuò fra i commensali. E l'intendente esclamò con comica desolazione:

« Ma signor conte...! ».

« Ma sì! Cosa c'è di strano? L'assassino è fra di noi, non ci sono dubbi! Mi auguro però che questo non le guasti l'appetito, signor parroco! Anche il cadavere è qui in casa, eppure noi continuiamo a mangiare tranquillamente... Albert! Versi del vino al signor parroco... ».

Il piede sfiorò di nuovo la caviglia di Maigret, che lasciò cadere il tovagliolo e si chinò a raccoglierlo: troppo tardi. Quando si rialzò, il conte, senza smettere di mangiare il pollo, stava dicendo:

« Poco fa accennavo a Walter Scott... Mi è venuto in mente non solo per via dell'atmosfera che regna in questa stanza, ma anche e soprattutto per via dell'assassino... In fin dei conti siamo a una veglia funebre, no?... Il funerale avrà luogo domattina, ed è probabile che fino ad allora resteremo insieme... Métayer se non altro ha avuto il merito di rifornire il bar di eccellente whisky... ».

Maigret cercò di ricordare quanto avesse bevuto Saint-Fiacre. In ogni caso meno dell'avvocato, il quale esclamò:

« Ah sì, eccellente davvero! Ma anche il mio cliente è nipote di viticoltori e... ».

« Stavo dicendo... Cosa stavo dicendo?... Ah, sì!... Albert, riempia il bicchiere del signor parroco...

« Stavo dicendo che, dal momento che l'assassino è qui, gli altri svolgono in qualche modo la funzione di giustizieri... Proprio per questo la nostra riunione ricorda un romanzo di Walter Scott...

« Il bello è che in realtà l'assassino non rischia niente, vero, commissario?... Infilare un foglio di carta in un messale non è un delitto...

« A proposito, dottore... Quand'è che mia madre ha avuto l'ultimo attacco?... ».

Il dottore si asciugò le labbra e si guardò intorno con aria cupa:

« Tre mesi fa, quando lei ha telegrafato da un albergo di Berlino dicendo che non stava bene e che... ».

« Battevo cassa, come al solito! ».

« In quell'occasione ricordo di averla avvertita che un'altra emozione violenta le sarebbe stata fatale ».

« Cosicché... Vediamo... Chi era al corrente? Jean Métayer, certo... Io, ovviamente!... Gautier padre, che è di casa... E infine lei e il signor parroco... ».

Buttò giù un intero bicchiere di vino e fece una smorfia:

« Quindi a rigor di logica tutti i presenti o quasi sono potenziali colpevoli... E se la cosa vi diverte... ».

Sembrava quasi che facesse apposta a usare le espressioni più sconcertanti!

« ... Se la cosa vi diverte, prenderemo in esame ogni singolo caso... Cominciamo dal signor parroco... Poteva avere interesse a uccidere mia madre?... Vedrete che la risposta non è così semplice come sembra... Lasciamo da parte la questione dei soldi... ».

Il prete boccheggiava, e sembrava sul punto di alzarsi.

« Il signor parroco non aveva nulla da sperare... Ma è un mistico, un apostolo, quasi un santo... Fra i suoi parrocchiani c'è una strana donna che dà scandalo con la sua condotta... Ora si precipita in chiesa come la più fervente dei fedeli, ora copre di fango tutta Saint-Fiacre... Suvvia! Perché quell'espressione, Métayer?... Siamo fra uomini... Diciamo, se preferisce, che stiamo facendo qualche supposizione di ordine psicologico...

« La fede del signor parroco è così ardente che potrebbe spingerlo a gesti estremi... Pensate ai tempi in cui si bruciavano al rogo i peccatori per purificarli... Dunque, mia madre è a messa... Ha appena fatto la comunione... È in stato di grazia... Ma presto precipiterà di nuovo nel peccato e darà ancora scandalo...

« Se morisse lì, nel suo banco, in santità... ».

« Ma... » cominciò il prete, che aveva gli occhi gonfi di lacrime e si aggrappava al tavolo per mantenere la calma.

« La prego, signor parroco... Come ho detto, stiamo facendo un po' di psicologia... Voglio solo dimostrarle che anche le persone più austere possono, in teoria, macchiarsi delle peggiori atrocità... Il caso del dottore mi lascia più perplesso... Non è un santo... E neppure uno scienziato, il che lo scagiona... Uno scienziato, infatti, avrebbe potuto infilare il foglio di carta nel messale per sperimentare la resistenza di un cuore malato... ».

Il rumore delle forchette si era affievolito fino a spegnersi quasi del tutto. E gli sguardi erano fissi, angosciati, addirittura stravolti. Solo il maggiordomo continuava in silenzio a riempire i bicchieri con la regolarità di un metronomo.

« Signori, come siete deprimenti!... Pensate davvero che tra persone ragionevoli non si possano affrontare certi argomenti?...

« Albert, serva pure l'insalata... Dunque, a meno di non considerare il dottore uno scienziato o un ricercatore, dobbiamo eliminarlo... È la sua mediocrità a scagionarlo... ».

Fece una risatina e si girò verso il vecchio Gautier.

« Tocca a lei!... E qui il caso si fa più complesso... Vi ricordo che il nostro punto di vista è sempre puramente teorico... Ci sono due possibilità... La prima è che lei sia l'intendente modello, l'uomo integerrimo che dedica la sua vita ai padroni, al castello che l'ha visto nascere... In realtà non l'ha visto nascere, ma non importa... In questo caso la sua posizione non è chiara... I Saint-Fiacre hanno un solo erede maschio... Ed ecco che il loro patrimonio gli si sta a poco a poco sgretolando sotto il naso... La contessa si comporta come una pazza... E forse è venuto il momento di salvare quel che resta...

« Un gesto nobile, degno di Walter Scott, e paragonabile a quello del signor parroco...

« Ma le cose potrebbero anche essere andate in modo diverso! Lei non è più l'intendente modello votato agli interessi dei Saint-Fiacre... Lei è solo una canaglia che da anni approfitta e abusa della debolezza dei suoi padroni... Le fattorie che sono costretti a vendere, è lei che le ricompra di nascosto... Le ipoteche, è lei che le rileva... Non si arrabbi, Gautier... Il parroco mica si è arrabbiato... E non è finita...

« Lei è in pratica il vero proprietario del castello... ».

« Signor conte! ».

« Ma lei non sa stare al gioco! Glielo ripeto, stiamo giocando! Giochiamo, per così dire, a rubare il mestiere al suo vicino, il commissario... Ormai la contessa ha toccato il fondo... Dovrà vendere tutto e si renderà conto che lei ha approfittato della situazione... Forse, allora, sarebbe meglio che morisse, dolcemente s'intende... Il che, oltretutto, le eviterebbe di conoscere la miseria... ».

E rivolgendosi al maggiordomo, ombra nell'ombra, demone dalle mani biancoguantate:

« Albert!... Vada a prendere la pistola di mio padre... Sempre che ci sia ancora... ».

Versò da bere per sé e per i suoi due vicini, poi tese la bottiglia a Maigret.

« Le spiace servire da bere dalla sua parte?... Uff! Eccoci quasi a metà del nostro gioco... Ma aspettiamo Albert... Métayer... Lei non beve... ».

Si sentì un « no, grazie » strozzato.

« E lei, avvocato? ».

E questi, con la bocca piena e la lingua impastata:

« No, grazie, davvero! Sono a posto così... Sa che lei sarebbe un ottimo procuratore generale?... ».

Era l'unico a ridere, a mangiare con un appetito indecente, a bere un bicchiere dopo l'altro, ora di bordeaux ora di borgogna, senza neanche accorgersi della differenza.

Si udirono i flebili rintocchi della campana della chiesa. Erano le dieci. Albert porse al conte una grossa pistola a tamburo, e questi controllò che fosse carica.

« Perfetto!... La metto qui, in mezzo al tavolo, che è rotondo... Come vedete, signori, la pistola si trova alla stessa distanza da ciascuno di noi... Abbiamo preso in esame tre casi... E ne prenderemo in esame altri tre... Ma innanzitutto vorrei fare una previsione... Tanto per restare in tono con Walter Scott e con l'atmosfera dei suoi romanzi, vi annuncio che prima di mezzanotte l'assassino di mia madre sarà morto!... ».

Maigret rivolse a Saint-Fiacre, al di sopra del tavolo, uno sguardo indagatore, e notò che i suoi occhi brillavano troppo, come se fosse ubriaco. Proprio in quel momento un piede sfiorò di nuovo il suo.

« E ora proseguiamo... Ma vi prego, mangiate pure l'insalata... Veniamo al suo vicino di sinistra, commissario, cioè a Émile Gautier... Un ragazzo serio, un lavoratore che, come dicono sempre alla cerimonia di fine anno scolastico, si è fatto strada con le sue sole forze e in virtù di una grande perseveranza...

« Sarebbe stato capace di commettere un omicidio?

« Prima ipotesi: ha lavorato per il padre, in combutta con lui...

« Tutti i giorni va a Moulins... Nessuno meglio di lui conosce la situazione finanziaria della famiglia... E può trovare senza difficoltà un tipografo o un linotipista...

« Passiamo alla seconda ipotesi... Mi spiace di doverglielo dire, Métayer... Se non lo sa ancora, lei aveva un rivale... Émile Gautier non è certo una bellezza... Eppure, quel ruolo che lei svolgeva con tanta discrezione l'ha avuto prima di lei...

« Ormai è passato qualche anno... Forse si era fatto delle illusioni... O forse in seguito ha saputo toccare nuovamente il cuore troppo sensibile di mia madre... Chi può dirlo...

« Sta di fatto che è stato il suo favorito ufficiale, e che le sue ambizioni erano senza limiti...

« Poi è arrivato lei, e ha avuto la meglio...

« Uccidere la contessa facendo ricadere al tempo stesso i sospetti su di lei... ».

Maigret si sentiva orribilmente a disagio. Questa messinscena era insopportabile, sacrilega! Saint-Fiacre parlava in preda a un'esaltazione da ubriaco, e gli altri si chiedevano se avrebbero retto sino alla fine, se dovevano restare e subire, o alzarsi e andarsene.

« Come vedete, navighiamo in un mare di poesia... Il bello è che persino la contessa, lassù, se potesse parlare non sarebbe in grado di svelarci la chiave del mistero... L'assassino è assolutamente l'unico a sapere... Mangi pure, Émile Gautier... Non si lasci impressionare... Non faccia come suo padre, che sembra sul punto di svenire...

« Albert!... Ci sarà pure qualche altra bottiglia di vino in un angolo della cantina...

« E adesso tocca a lei, giovanotto! ».

E sorridendo si girò verso Métayer, che si alzò di scatto.

« L'avverto, il mio avvocato... ».

« Ma si sieda, che diamine! Non vorrà farci credere che alla sua età non sa stare allo scherzo... ».

Maigret guardò il conte mentre pronunciava queste parole e notò che aveva la fronte imperlata di sudore.

« Nessuno di noi cerca di sembrare migliore di quello che è, vero? Bene! Vedo che comincia ad afferrare. Prenda un frutto! È ottimo per la digestione... ».

Il caldo era insopportabile, e Maigret si chiese chi avesse spento le lampade, lasciando accese solo le candele sul tavolo.

« Il suo caso è così semplice da risultare privo di interesse... Lei recitava una parte assai poco piacevole, di quelle che è impossibile sostenere a lungo...

Insomma, era nominato nel testamento... Un testamento, però, che poteva essere modificato in qualsiasi momento... Una morte improvvisa e tutto era finito!... Sarebbe stato libero! Libero di raccogliere il frutto del suo... del suo sacrificio... E, ci giurerei, avrebbe sposato una ragazza delle sue parti, su cui probabilmente aveva già messo gli occhi...».

«Ma signor conte!...» intervenne l'avvocato, in modo così comico che Maigret non poté trattenere un sorriso.

«Chiuda il becco, lei! E pensi a bere!».

Saint-Fiacre non ammetteva repliche! Era ubriaco, su questo non c'era ormai il minimo dubbio! La sua era la tipica eloquenza degli ubriaconi, un misto di brutalità e di finezza, di scioltezza d'eloquio e di incomprensibile balbettio.

«Resto solo io!».

Chiamò Albert.

«Senta, vecchio mio, vada un po' di sopra... Dev'essere orribile per mia madre starsene tutta sola...».

Maigret vide il domestico rivolgere uno sguardo interrogativo al vecchio Gautier, che sbatté le palpebre in segno di assenso.

«Aspetti!... Porti prima in tavola qualche altra bottiglia... E il whisky... Nessuno di voi si formalizza, mi auguro...».

Guardò l'orologio.

«Le undici e dieci... Parlo così tanto che non ho neppure sentito le campane della sua chiesa, signor parroco...».

Nel posare sul tavolo le bottiglie di whisky il maggiordomo aveva spostato leggermente la pistola, e il conte intervenne:

«Stia attento, Albert!... Deve restare alla stessa distanza da ognuno di noi...».

«Ecco qua!» concluse non appena il maggiordomo fu uscito. «Resto solo io! Se vi dico che non ho mai concluso nulla di buono, per voi non è certo una novità! Tranne forse quando era ancora vivo mio padre... Ma dato che è morto quando avevo appena diciassette anni...

«Sono al verde, lo sanno tutti! E più o meno velatamente ne parlano persino i settimanali scandalistici...

«Firmo assegni a vuoto... Ogni volta che posso spillo denaro a mia madre... Invento la malattia di Berlino per strapparle qualche migliaio di franchi...

«In fondo è come la faccenda del messale, solo più in piccolo...

«A questo punto che succede?... Succede che il denaro che mi spetta lo stanno sperperando piccoli farabutti come Métayer... Mi perdoni, vecchio mio... Siamo sempre nell'ambito della pura analisi psicologica...

«Presto non rimarrà più nulla... Allora, in un momento in cui rischio di finire in prigione per un assegno scoperto, chiamo mia madre... Lei mi rifiuta i soldi... Sarà facile provarlo, ci sono testimoni...

«Insomma, di questo passo nel giro di qualche settimana il patrimonio che mi appartiene sarà sfumato...

«Due ipotesi, come nel caso di Émile Gautier. La prima...».

Mai nella sua carriera Maigret si era sentito così a disagio. E senza dubbio per la prima volta aveva la netta sensazione di essere inadeguato alla situazione. Una situazione superiore alle sue forze. A tratti gli sembrava di capire, ma subito dopo una frase di Saint-Fiacre rimetteva tutto in discussione!

E poi c'era quel piede che non smetteva di sfiorare il suo sotto il tavolo!

«Perché non cambiamo argomento?» buttò lì l'avvocato, ormai completamente sbronzo.

«Signori...» cominciò il prete.

«Chiedo scusa! Ma almeno sino a mezzanotte

posso disporre di voi! Stavo dicendo che la prima ipotesi...

« Ecco, lo sapevo! Mi avete fatto perdere il filo del ragionamento... ».

E come per aiutarsi a ritrovarlo si riempì il bicchiere di whisky.

« Sapendo che mia madre è molto vulnerabile, infilo il foglio nel suo messale: giusto perché si spaventi un po', anzi perché si commuova, in modo che io possa trovarla più malleabile quando il giorno dopo tornerò per chiederle i soldi necessari...

« Ma c'è una seconda ipotesi! Perché non dovrei anch'io volerla morta?

« Le sostanze dei Saint-Fiacre non sono del tutto prosciugate! Un po' di denaro è rimasto! E nella mia situazione un po' di denaro, per poco che sia, può rappresentare la salvezza!

« Ho sentito dire che Métayer è nominato nel testamento. Ma un assassino non può ereditare...

« E non sarà lui a essere sospettato del delitto? Lui che passa la metà del suo tempo in una tipografia di Moulins? Lui che, vivendo al castello, può infilare come e quando vuole il foglio nel messale?

« Per questo sono arrivato a Moulins sabato pomeriggio, no? E lì ho aspettato, in compagnia della mia amante, l'esito della macchinazione... ».

Si alzò levando il bicchiere.

« Alla vostra, signori... Siete deprimenti... E mi dispiace... In questi ultimi anni la vita della mia povera mamma è sempre stata deprimente... Non è forse vero, signor parroco?... Sarebbe giusto che almeno la sua ultima notte fosse un po' allegra... ».

Guardò negli occhi Maigret.

« Alla salute, commissario! ».

Di chi si prendeva gioco? Di lui? Di tutti?

Maigret si sentiva in presenza di una forza alla quale era impossibile opporsi. Ci sono individui che, in un dato momento della loro esistenza, vivono un'ora di pienezza, un'ora durante la quale essi sono in qualche modo al di sopra del resto dell'umanità e di se stessi.

Succede al giocatore che una sera, a Montecarlo, non smette di vincere qualunque cosa faccia. Succede all'oscuro deputato dell'opposizione che col suo discorso riesce a far vacillare il governo, a farlo cadere – ed è il primo a stupirsene, perché la sua massima aspirazione era un trafiletto sul «Journal officiel».

Maurice de Saint-Fiacre stava vivendo quell'ora di pienezza. Avvertiva in sé una forza insospettata, e gli altri non potevano che chinare il capo.

Ma forse era soltanto l'alcol a dargli tanto coraggio.

«Signori, non è ancora mezzanotte... Torniamo dunque a quel che è stato il preambolo a questa nostra conversazione... Ho detto che l'assassino di mia madre era tra di noi... E vi ho provato che potevo essere io o uno di voi, tranne forse il dottore e il commissario!

«Ancora non ne sono sicuro...

«E vi ho annunciato che sarebbe morto stanotte...

«Vorrei continuare, se non vi spiace, col gioco delle ipotesi. L'assassino sa che la legge non può nulla contro di lui. Ma sa anche che alcuni di noi – mi correggo, che alcune persone, almeno sette, sono a conoscenza del suo delitto...

«E a questo punto gli si prospettano varie soluzioni...

«La prima è la più romantica, la più consona a Walter Scott...

«Ma devo aprire un'altra parentesi... Qual è la caratteristica principale di questo delitto?... È che intorno alla contessa gravitavano almeno cinque individui... Cinque individui che potevano ricavare un vantaggio dalla sua morte e che forse, ognuno per proprio conto, hanno pensato a come provocarla...

« Ma uno solo ha osato... Uno solo ha commesso il delitto!...

« Ebbene, non mi stupirei se approfittasse di questa serata per vendicarsi degli altri... È perduto!... Perché non dovrebbe farci fuori tutti?... ».

E Maurice de Saint-Fiacre guardò a uno a uno i commensali con un sorriso disarmante.

« Non vi sembra romanzesco? La vecchia sala da pranzo del vecchio castello, le candele, il tavolo coperto di bottiglie... Poi, a mezzanotte, la morte... E in un colpo solo, badate bene, anche lo scandalo è spazzato via... Il giorno dopo la gente accorre e non capisce nulla... Si parla di fatalità o di un attentato anarchico... ».

L'avvocato, che cominciava ad agitarsi sulla sedia, lanciò intorno a sé uno sguardo angosciato, verso la penombra che ormai avvolgeva ogni cosa a meno di un metro dal tavolo.

« Vi ricordo che sono un medico, » borbottò Bouchardon « e come medico consiglierei a tutti una bella tazza di caffè nero... ».

« Io invece » disse lentamente il prete « voglio ricordarvi che in questa casa c'è un morto... ».

Saint-Fiacre ebbe un attimo di esitazione. Qualcuno sfiorò col piede la caviglia di Maigret, che si chinò prontamente, ma ancora una volta troppo tardi.

« Vi ho chiesto di restare con me fino a mezzanotte... Ho preso in esame solo la prima ipotesi... Ma ce n'è una seconda... L'assassino, braccato, in preda al panico, si tira un colpo in testa... *Ma io non credo che lo farà...* ».

« Passiamo nel fumoir, ve ne prego! » disse l'avvocato con voce strozzata: si era alzato e si teneva aggrappato allo schienale della sedia per non cadere.

« E c'è infine una terza ipotesi... Qualcuno che ha a cuore l'onore della famiglia viene in aiuto dell'assassino... Un momento... La faccenda è più complicata... Non bisogna forse evitare lo scandalo?... Non bisogna forse *aiutare* il colpevole a suicidarsi?...

«La pistola è qui, signori, alla stessa distanza da tutte le mani... Mancano dieci minuti a mezzanotte... Vi ripeto che a mezzanotte l'assassino sarà morto...».

E il suo tono questa volta fu tale da lasciare tutti di sasso. Nessuno osava fiatare.

«La vittima è al piano di sopra, vegliata da un domestico... L'assassino è qui, circondato da sette persone...».

Saint-Fiacre buttò giù d'un fiato un bicchiere di whisky, mentre l'anonimo piede continuava a sfiorare quello di Maigret.

«Sei minuti a mezzanotte... L'atmosfera vi sembra all'altezza di Walter Scott?... Trema, signor assassino!...».

Era ubriaco! E non smetteva di bere!

«Vi erano almeno cinque persone pronte a derubare una donna anziana, senza marito, senza affetti... E uno solo ha osato... Adesso, signori, o la bomba o la pistola... La bomba che ci farà saltare tutti in aria o la pistola che raggiungerà soltanto il colpevole... Quattro minuti a mezzanotte...».

E in tono brusco:

«Non dimenticate che nessuno sa!...».

Afferrò la bottiglia e versò da bere a tutti, cominciando da Maigret e terminando con Émile Gautier.

Ma non si riempì il bicchiere. Aveva già bevuto abbastanza... Una candela si spense, e di lì a poco anche le altre avrebbero subito la stessa sorte.

«A mezzanotte, ho detto... Mancano tre minuti...».

Ostentava un tono da banditore di asta.

«Mezzanotte meno tre... meno due... L'assassino sta per morire... Può cominciare a pregare, signor parroco... E lei, dottore, ha almeno con sé la sua valigetta?... Meno due... Meno uno e mezzo...».

E ancora quel piede insistente contro il piede di Maigret, che non osava più chinarsi per timore di perdere lo spettacolo.

« Io me ne vado! » gridò l'avvocato alzandosi.

Tutti si girarono verso di lui. Era in piedi, e stringeva lo schienale della sedia. Esitava a fare i tre pericolosi passi che lo avrebbero condotto fino alla porta. Fu scosso da un singhiozzo.

Proprio in quel momento risuonò uno sparo. Per un istante, forse due, tutti rimasero immobili.

Poi una seconda candela si spense e contemporaneamente Maurice de Saint-Fiacre barcollò, urtò con le spalle lo schienale della sedia gotica e scivolò a sinistra, tentando invano di risollevarsi. Ma la sua testa ricadde, inerte, sul braccio del parroco.

10

LA VEGLIA FUNEBRE

Nella confusione che seguì, i presenti ebbero la sensazione che ovunque intorno a loro accadesse qualcosa. Eppure in seguito ciascuno di essi non sarebbe stato in grado di raccontare se non la piccola parte di avvenimenti alla quale aveva assistito personalmente.

Solo cinque candele rischiaravano ormai la sala da pranzo. Vaste zone rimanevano in ombra, e nell'agitazione generale tutti vi entravano e ne uscivano come se fossero state quinte teatrali.

A sparare era stato uno dei vicini di Maigret: Émile Gautier. Subito dopo, con un gesto piuttosto teatrale, aveva teso i polsi al commissario.

Maigret era in piedi. Gautier si alzò, e con lui suo padre. I tre formarono un gruppetto da un lato del tavolo, mentre un altro gruppetto si radunava intorno alla vittima.

La testa di Saint-Fiacre era ancora appoggiata al braccio del prete. Il medico, chinatosi su di lui, si guardò intorno con aria cupa.

«È morto?...» chiese l'avvocato grassoccio.

Non ci fu risposta. Sembrava che su quel fronte

l'azione procedesse fiaccamente, come in una recita di dilettanti.

Solo Métayer non si era unito a nessuno dei due gruppi. Stava accanto alla sua sedia, scosso da un tremito che tradiva l'angoscia, e non sapeva dove guardare.

Era evidente che Émile Gautier, poco prima di compiere il suo gesto, aveva stabilito che atteggiamento assumere. Subito dopo aver deposto l'arma sul tavolo, infatti, fece una vera e propria dichiarazione, senza mai staccare gli occhi da Maigret:

« L'aveva detto lui, no?... L'assassino doveva morire... E dato che era troppo vile per farsi giustizia da solo... ».

La sua sicurezza era stupefacente.

« Ho fatto solo quello che ritenevo mio dovere... ».

Gli altri, dalla parte opposta del tavolo, forse neppure lo sentirono. Nel corridoio risuonarono dei passi. Erano i domestici, e il dottore andò alla porta per impedir loro di entrare, ma Maigret non capì che cosa disse per allontanarli.

« Ho visto Saint-Fiacre che si aggirava nei dintorni del castello la notte del delitto... Allora ho capito... ».

Ma tutta quella scena aveva qualcosa di stonato. E Gautier recitava da guitto di quart'ordine.

« Saranno i giudici a decidere se... » dichiarò.

Si udì la voce del dottore.

« È sicuro che sia stato Saint-Fiacre a uccidere la contessa? ».

« Sicurissimo! Non avrei certo agito così se... ».

« Lei l'ha visto aggirarsi nei dintorni del castello la notte del delitto? ».

« L'ho visto come ora vedo lei. Aveva lasciato l'auto alle porte del paese... ».

« E non ha altre prove? ».

« Una ce l'ho! Questo pomeriggio il chierichetto è venuto da me alla banca con sua madre... È stata lei a convincerlo a parlare... Poco dopo il delitto il conte ha chiesto al ragazzo di consegnargli il messale promettendogli in cambio del denaro... ».

Maigret, che aveva l'impressione di essere escluso da quella commedia, era arrivato al limite della propria pazienza!

Una commedia, sì! Perché il dottore sorrideva sotto i baffi!... E il prete scostava delicatamente la testa di Saint-Fiacre!...

E la commedia era tutt'altro che finita, anzi sarebbe continuata nei toni della farsa e della tragedia insieme.

Il conte di Saint-Fiacre, infatti, si alzò con l'aria di chi ha appena schiacciato un pisolino. Il suo sguardo era duro, e la piega agli angoli delle labbra ironica e minacciosa insieme.

« Vieni un po' qui e ripeti quello che hai detto! » disse.

Il grido che risuonò faceva accapponare la pelle. Era Émile Gautier che, aggrappandosi a Maigret come per ottenerne protezione, urlava la sua paura. Ma il commissario indietreggiò, lasciando campo libero ai due uomini.

Solo Métayer non aveva capito, e sembrava terrorizzato almeno quanto l'impiegato di banca. Come se non bastasse, uno dei candelabri si rovesciò, e la tovaglia prese fuoco spandendo un acre odore di bruciato.

Fu l'avvocato a spegnere quel principio di incendio gettando sulla tovaglia un'intera bottiglia di vino.

« Vieni qui, ti ho detto! ».

Era un ordine! E il tono era tale da imporre l'obbedienza.

Maigret aveva afferrato la pistola. Un semplice colpo d'occhio gli era bastato per capire che era caricata a salve.

Il resto poteva intuirlo. Maurice de Saint-Fiacre

reclina il capo sul braccio del prete e mormora di lasciarlo credere morto per un po'...

Adesso non era più lo stesso uomo. Sembrava più alto, più solido, e non toglieva gli occhi di dosso al giovane Gautier. Allora, d'improvviso, l'intendente corse verso la finestra, la aprì e gridò a suo figlio:

« Per di qui!... ».

Il suo intervento non fu privo di astuzia. L'emozione era tale, e tale lo sconcerto, che in quel momento Gautier aveva davvero la possibilità di fuggire.

L'avvocato lo fece apposta? Probabilmente no! O forse fu la sbronza a far scattare in lui una specie di eroismo. Mentre il fuggiasco si dirigeva verso la finestra, allungò la gamba, e Gautier cadde a terra lungo disteso.

Non si rialzò da solo. Una mano lo aveva afferrato per il colletto e ora lo stava sollevando e rimettendo in piedi. Quando si accorse che si trattava di Saint-Fiacre, e che questi lo teneva saldamente, ricominciò a urlare.

« Non una mossa!... E qualcuno chiuda la finestra... ».

Saint-Fiacre sferrò un primo pugno, e la faccia dell'impiegato di banca divenne paonazza. Lo picchiava con freddezza.

« Parla, adesso! Racconta... ».

Nessuno intervenne. E nessuno ci pensò neanche, tanto era chiaro a tutti che uno solo aveva il diritto di alzare la voce.

Ma Gautier padre borbottò all'orecchio di Maigret:

« Non lo lascerà mica fare?... ».

E come! Saint-Fiacre dominava la situazione, ed era all'altezza del compito!

« Tu dici di avermi visto la notte del delitto? È vero! ».

E rivolgendosi agli altri:

« Volete sapere dove mi ha visto?... Sulla scalinata... Stavo per entrare... E lui usciva... Volevo prendere dei gioielli di famiglia e rivenderli... Ci siamo trovati faccia a faccia, nel buio... Faceva un freddo cane... E questo farabutto mi ha detto che usciva dalla... Capite?... Dalla camera da letto di mia madre!...».

E a voce più bassa, quasi con noncuranza:

«Ho rinunciato al mio progetto e sono tornato a Moulins».

Jean Métayer aveva gli occhi sgranati. L'avvocato si accarezzava il mento, per darsi un contegno, e gettava avide occhiate al suo bicchiere senza avere il coraggio di prenderlo.

«Non era una prova sufficiente... Erano in due in casa, e Gautier poteva aver detto la verità... Come ho spiegato prima, è stato il primo ad approfittare dello smarrimento di una povera vecchia... Métayer è arrivato solo più tardi... E forse, sentendo minacciata la sua posizione, aveva tentato di vendicarsi... Volevo sapere... E tutt'e due stavano sulla difensiva... Come per sfidarmi...

«Non è vero, Gautier?... Uno che firma assegni a vuoto e che si aggira di notte nei pressi del castello non oserebbe mai muovere accuse... Avrebbe paura di essere arrestato per primo...».

E in tono più pacato:

«Lei mi scuserà, signor parroco, e anche lei, dottore, se vi faccio assistere a questo spettacolo immondo... Ma lo abbiamo già detto: la giustizia vera, quella dei tribunali, qui non c'entra... Non è vero, Maigret?... Ha capito almeno che ero io a darle dei calci sotto il tavolo?...».

Andava su e giù, passando dalla luce all'ombra e dall'ombra alla luce. Il suo aspetto era quello di un uomo che cerca di dominarsi e che riesce a mantenere la calma solo a prezzo di uno sforzo inaudito.

A tratti si avvicinava a Gautier fino a sfiorarlo.

«Che tentazione, non è vero, quella di prendere la pistola e di sparare? Del resto, ero stato io a dirlo:

il colpevole morirà a mezzanotte! E così tu saresti diventato il paladino dell'onore dei Saint-Fiacre!...».

Questa volta il conte gli sferrò un pugno con tale violenza che il naso del giovane cominciò a sanguinare copiosamente.

Gli occhi di Émile Gautier erano quelli di un animale moribondo. Vacillò per il colpo, e riuscì a stento a trattenere le lacrime: lacrime di dolore, di paura, di smarrimento.

L'avvocato cercò di intervenire, ma Saint-Fiacre lo respinse.

« Non si immischi, lei! ».

E in quel *lei* c'era tutta la distanza che li separava. Maurice de Saint-Fiacre li sovrastava tutti.

« Vi prego di scusarmi, signori, ma c'è ancora una piccola formalità da sbrigare ».

Spalancò la porta e si girò verso Gautier.

« Vieni con me!... ».

L'altro sembrava inchiodato al suolo. Il corridoio non era illuminato, e lui non voleva restare da solo con il suo avversario.

Fu questione di secondi. Saint-Fiacre gli si avvicinò e lo colpì di nuovo, facendolo ruzzolare nell'ingresso.

« Sali! ».

E gli indicò la scala che portava al primo piano.

« Commissario! L'avverto che... » ansimava l'intendente.

Il prete aveva distolto lo sguardo. Soffriva, ma non aveva la forza di intervenire. Tutti erano allo stremo, e Métayer aveva la gola così secca che prese una bottiglia, senza neppure guardare cosa fosse, e si versò da bere.

« Dove stanno andando? » chiese l'avvocato.

Il pavimento del corridoio risuonò sotto i passi dei due uomini. E si sentiva il respiro affannoso di Gautier.

« Lei sapeva tutto! » disse Maigret all'intendente.

Parlava a voce bassa, scandendo le parole. «Vi era-
vate messi d'accordo, lei e suo figlio! Avevate già le
cascine, le ipoteche... Ma Jean Métayer rappresen-
tava un pericolo... Bisognava far sparire la contessa... E al tempo stesso far ricadere i sospetti su quel
gigolo, per poterlo togliere di mezzo...».

Un grido di dolore. Il dottore andò nel corridoio
a vedere che cosa stava succedendo.

«Non è niente!» disse. «Quella canaglia non vuole salire, e il conte gli sta dando una mano...».

«È spregevole!... È un delitto!... Che cosa ha intenzione di fare?...» gridò il vecchio Gautier slan-
ciandosi verso il corridoio.

Maigret e il dottore lo seguirono. Quando arrivarono alle scale, gli altri due, al piano di sopra, erano
ormai davanti alla porta della camera mortuaria.

Si sentì la voce di Saint-Fiacre:

«Entra!».

«Non posso... Io...».

«Entra, ti ho detto!».

Un colpo sordo. Saint-Fiacre gli aveva sferrato un
altro pugno.

Il vecchio Gautier corse su per le scale, seguito da
Maigret e da Bouchardon. Arrivarono di sopra proprio mentre la porta si richiudeva, e nessuno dei tre
si mosse.

Dal massiccio battente di quercia non filtrava alcun rumore. L'intendente tratteneva il respiro, e
nell'oscurità una smorfia di angoscia gli contraeva il
viso.

Un sottile raggio di luce, sotto la porta.

«In ginocchio!».

Una pausa. Un respiro che sembrava un rantolo.

«Più in fretta!... In ginocchio!... E adesso chiedi
perdono!...».

Ancora un silenzio, un lunghissimo silenzio. Poi
un grido di dolore. Questa volta l'assassino era stato
colpito non da un pugno, ma da un calcio in piena
faccia.

« Per... perdono... ».

« Tutto qua?... Non trovi nient'altro da dire?... Ricordati che è stata lei a farti studiare... ».

« Perdono! ».

« Ricordati che solo tre giorni fa era ancora viva ».

« Perdono! ».

« Ricordati, lurido farabutto, che un tempo ti sei infilato nel suo letto... ».

« Perdono!... Perdono!... ».

« Non basta!... Su, forza!... Dille che sei un viscido insetto... Ripeti... ».

« Sono... ».

« In ginocchio, ti ho detto!... Hai bisogno di un tappeto? ».

« Ahi!... Io... ».

« Chiedi perdono... ».

D'improvviso a quelle risposte intervallate da lunghi silenzi seguì una serie di violenti rumori. Saint-Fiacre aveva perso il controllo. Il parquet risuonava di colpi.

Maigret socchiuse la porta. Maurice de Saint-Fiacre teneva Gautier per il collo e gli sbatteva la testa contro il pavimento.

Vedendo il commissario, lasciò la presa, si asciugò la fronte e si alzò in piedi.

« È fatta!... » disse ansimando.

Poi si accorse della presenza dell'intendente e corrugò la fronte.

« E tu, non senti anche tu il bisogno di chiedere perdono? ».

Il vecchio, sopraffatto dalla paura, cadde in ginocchio.

Nella fioca luce dei due ceri, della morta si vedevano solo il naso, che pareva smisurato, e le mani strette intorno al rosario.

« Vattene! ».

Il conte spinse Émile Gautier fuori dalla stanza e

richiuse la porta. Si avviarono tutti insieme giù per le scale.

Émile Gautier sanguinava. Non riusciva a trovare il fazzoletto, e il medico gli porse il suo.

Aveva un aspetto spaventoso: il viso era devastato, coperto di sangue; il naso gonfio e tumefatto, il labbro superiore spaccato...

Eppure, la cosa più repellente e disgustosa erano gli occhi dallo sguardo sfuggente...

Maurice de Saint-Fiacre, col passo rapido e deciso di un padrone di casa che sa quel che deve fare, attraversò il lungo corridoio del pianterreno e aprì la porta. Una folata d'aria gelida penetrò nell'atrio.

« Sparite!... » sibilò rivolto ai due Gautier.

Ma nel momento in cui Émile usciva, lo riacciuffò d'impulso.

Un singhiozzo – Maigret ne fu certo – salì alla gola del conte. Ricominciò a colpire convulsamente, gridando:

« Farabutto!... Farabutto!... ».

Bastò tuttavia che il commissario gli sfiorasse la spalla. Saint-Fiacre riprese il controllo di sé, scaraventò Gautier giù per la scalinata e chiuse la porta.

Fecero in tempo a sentire la voce del vecchio:

« Émile... Dove sei?... ».

Il prete, con i gomiti sulla credenza, pregava. In un angolo, Métayer e il suo avvocato se ne stavano immobili, lo sguardo fisso alla porta.

Maurice de Saint-Fiacre entrò a testa alta.

« Signori... » cominciò.

Ma ormai, soffocato dall'emozione, non riusciva più a parlare. Era ai limiti della resistenza.

Strinse la mano al dottore e a Maigret, come per far loro capire che era venuto il momento di andarsene. Poi si girò verso Métayer e il suo avvocato, e rimase in attesa.

Sembrava che i due non capissero. O forse erano paralizzati dal terrore.

Per indicare loro la strada, fu necessario un gesto, seguito dallo schiocco delle dita.

Nient'altro!

O meglio, poiché l'avvocato indugiava nella ricerca del cappello, Saint-Fiacre ebbe un gemito:

« Sbrigatevi!... ».

Da dietro una porta giungeva un brusio, e Maigret intuì che si trattava dei domestici: erano tutti lì in ascolto per cercare di capire che cosa stesse succedendo.

Indossò il pesante cappotto, e sentì ancora una volta il bisogno di stringere la mano a Saint-Fiacre.

La porta era aperta. Fuori, nella notte limpida e fredda, senza una nuvola, i pioppi si stagliavano contro il cielo rischiarato dalla luce della luna. Da qualche parte in lontananza risuonavano dei passi, e le finestre della casa dell'intendente erano illuminate.

« Lei resti, signor parroco, la prego... ».

E la voce di Maurice de Saint-Fiacre echeggiò nel corridoio:

« Ora, se non è troppo stanco, veglieremo mia madre... ».

11

IL FISCHIETTO DA BOY-SCOUT

« Mi scusi se la trascuro così, signor Maigret... Ma con la storia del funerale... ».

E la povera Marie Tatin, tutta indaffarata, preparava intere casse di birra e di gazzosa.

« Sa, quelli che abitano lontano verranno a mangiare un boccone... ».

I campi erano bianchi di brina, e l'erba scricchiolava sotto i piedi. Ogni quarto d'ora le campane della chiesetta suonavano a morto.

Il feretro era arrivato fin dall'alba, e i becchini, riuniti alla locanda, se ne stavano seduti in semicerchio attorno alla stufa.

« Certo è proprio strano che l'intendente non sia a casa! » aveva detto loro Marie Tatin. « Sarà senz'altro al castello, col signor Maurice... ».

E già arrivavano i primi contadini col vestito della festa.

Maigret stava finendo di fare colazione quando dalla finestra vide arrivare il chierichetto. La madre lo teneva per mano, ma non lo accompagnò fino alla locanda. Si fermò all'angolo della strada, dove pensava che nessuno potesse vederla, e spinse avanti il figlio come per comunicargli l'impulso necessario a raggiungere la locanda di Marie Tatin.

Entrando Ernest si sentiva sicuro di sé come un ragazzino che, alla cerimonia di fine anno scolastico, recita una fiaba provata per mesi.

« C'è il signor commissario? ».

Nel momento stesso in cui rivolgeva questa domanda a Marie Tatin, vide Maigret e andò verso di lui. In una delle mani, che teneva infilate in tasca, stringeva qualcosa.

« Sono venuto a... ».

« Fammi vedere il fischietto ».

Di colpo Ernest indietreggiò e distolse lo sguardo. Poi, dopo averci pensato un po', mormorò:

« Quale fischietto? ».

« Quello che hai in tasca... È da molto che hai voglia di un fischietto da boy-scout?... ».

Quasi senza volerlo il ragazzo lo tirò fuori di tasca e lo posò sul tavolo.

« E adesso raccontami la tua storiella ».

Ernest gli rivolse un'occhiata piena di diffidenza, poi alzò impercettibilmente le spalle. Era già un dritto, e nel suo sguardo si leggeva con chiarezza: « Che me ne importa? Il fischietto ce l'ho! Dirò quello che mi hanno ordinato di dire... ».

E attaccò:

« È per la storia del messale... L'altro giorno non le ho detto tutto, perché lei mi faceva paura... Ma la mamma vuole che le racconti la verità... Un po' prima della messa grande, qualcuno è venuto a chiedermi il messale... ».

Ma era rosso in viso, e all'improvviso si riprese il fischietto come se avesse paura di vederselo confiscare per via della bugia.

« E chi è stato? ».

« Il signor Métayer... Il segretario del castello... ».

« Vieni a sederti qui vicino a me... La vuoi una granatina? ».

« Sì... Con l'acqua che pizzica... ».

144

«Portaci una granatina con acqua di seltz, Marie... E tu, sei contento del tuo fischietto?... Fammelo un po' sentire...».

Al suono del fischietto, i becchini si girarono.

«Te l'ha comprato tua madre ieri pomeriggio, vero?».

«Come fa a saperlo?».

«Ieri, alla banca, quanto le hanno dato a tua madre?».

Il ragazzo lo guardò fisso negli occhi. Non era più paonazzo, ma pallidissimo. Lanciò un'occhiata verso la porta, come per misurare quanto fosse distante.

«Bevi la tua granatina... È stato Émile Gautier a ricevervi... E ti ha provato la lezione...».

«Sì!».

«E ti ha detto di accusare Jean Métayer!».

«Sì».

E dopo averci pensato un po':

«Che cosa mi farà?».

Maigret non si curò di rispondergli. Pensava. Stava pensando che il suo contributo alla soluzione di quel caso era consistito nel trovare l'ultimo anello, un piccolo anello che chiudeva perfettamente la catena.

Era Jean Métayer che Gautier voleva far incriminare. Ma la serata al castello aveva sconvolto i suoi piani. Si era infatti reso conto che il vero pericolo non era il segretario, ma il conte di Saint-Fiacre.

Se tutto fosse filato liscio, sarebbe stato costretto ad alzarsi di buon'ora per andare da Ernest a insegnargli una storiella diversa.

«Devi dire che è stato il signor conte a chiederti il messale...».

E adesso il ragazzo ripeteva:

«Che cosa mi farà?».

Maigret non ebbe il tempo di rispondere. In quel momento vide l'avvocato che scendeva le scale, entrava nella sala da pranzo e si avvicinava tendendogli la mano con un lieve imbarazzo.

«Ha dormito bene, signor commissario?... Mi scusi... Volevo chiederle un consiglio per conto del mio cliente... Ho un mal di testa spaventoso...».

Si sedette, o meglio crollò, su una sedia.

«Il funerale è alle due, vero?...».

Lanciò un'occhiata ai becchini, poi alla gente che passeggiava per strada aspettando l'ora della cerimonia funebre.

«In confidenza, lei crede che Métayer sia tenuto a... Non mi fraintenda... Noi ci rendiamo perfettamente conto della situazione, ed è proprio per delicatezza che...».

«Posso andare, signor commissario?».

Maigret non lo sentì, perché stava dicendo all'avvocato:

«Ma non ha ancora capito?».

«Insomma, se esaminiamo...».

«Vuole un consiglio? Non esamini un bel nulla!».

«Dunque secondo lei sarebbe meglio che ce ne andassimo senza...».

Troppo tardi! Ernest, che ormai si era riappropriato del fischietto, aveva aperto la porta ed era filato a gambe levate.

«Dal punto di vista legale, la nostra posizione è inecce...».

«Ineccepibile, come no!».

«È d'accordo anche lei?... Lo stavo appunto dicendo a...».

«Ha dormito bene?».

«Non si è neanche spogliato... È un ragazzo nervoso, estremamente sensibile, come del resto molti giovani di buona famiglia, e...».

Ma proprio allora i becchini tesero le orecchie, poi si alzarono e pagarono le consumazioni. Anche Maigret si alzò, prese il suo cappotto con il bavero di velluto, e con la manica diede una spolverata alla bombetta.

« Se fossi in voi me ne andrei il più discretamente possibile durante... ».

« Durante il funerale?... Allora bisogna che faccia venire un taxi... ».

« Ecco, appunto... ».

Il prete con la cotta. Ernest e altri due chierichetti nella loro tonaca nera. La croce, che il parroco di un paese vicino teneva fra le mani camminando svelto per via del freddo. E i canti liturgici, intonati di corsa lungo la strada.

I contadini si erano radunati ai piedi della scalinata. Non si riusciva a vedere all'interno. Poi la porta si aprì e apparve il feretro, sorretto da quattro uomini.

Alle loro spalle, una figura alta. Maurice de Saint-Fiacre, il portamento eretto, gli occhi arrossati.

Non era vestito di nero. Era il solo a non portare il lutto.

Eppure, quando il suo sguardo percorse la folla di contadini dall'alto della scalinata, fu come se una strana sensazione di imbarazzo si diffondesse fra gli astanti.

Non c'era nessuno al suo fianco mentre usciva dal castello. E seguiva la bara da solo...

Dal punto in cui si trovava Maigret poteva vedere la casa dell'intendente, la casa che un tempo era stata la sua e che ora aveva porte e finestre chiuse.

Anche le imposte del castello erano chiuse. Tranne che in cucina, dove i domestici guardavano fuori con la faccia incollata ai vetri.

La ghiaia scricchiolava sotto i passi, fin quasi a coprire il brusio dei canti sacri.

Le campane suonavano a distesa.

Lo sguardo di Maigret incrociò quello di Saint-Fiacre.

E il commissario ebbe l'impressione – o si ingannava? – che sulle labbra di Maurice de Saint-Fiacre aleggiasse un sorriso. Non il sorriso di un parigino scettico, di un figlio di papà a corto di quattrini.

Un sorriso sereno, fiducioso...

Durante la messa, a nessuno sfuggì lo stridulo suono di un clacson: un piccolo farabutto fuggiva in taxi in compagnia del suo avvocato inebetito dai postumi della sbronza.

STAMPATO DA ELCOGRAF STABILIMENTO DI CLES

GLI ADELPHI

Le inchieste di Maigret

GLI ADELPHI
Periodico mensile: N. 101/1996
Registr. Trib. di Milano N. 284 del 17.4.1989
Direttore responsabile: Roberto Calasso